Nasceu, e agora?

Editora Nova Fronteira Participações S.A.
Rua Nova Jerusalém, 345 – Bonsucesso – 21042-235
Rio de Janeiro – RJ – Brasil
Tel.: (21) 3882-8200 – Fax: (21) 3882-8212/8313

CIP-BRASIL. CATALOGAÇÃO-NA-FONTE
SINDICATO NACIONAL DOS EDITORES DE LIVROS, RJ

S243

Sapin-Lignières, Stéphanie, 1947-
Nasceu, e agora?: um guia prático para cuidar de seu filho no primeiro ano de vida / Stéphanie Sapin-Lignières. - 1. ed - Rio de Janeiro: Agir, 2015.
128 p. : il.

ISBN 978-85-220-3106-1

1.Mãe e filhos. 2. Mães. 3. Pais. 4. Maternidade. I. Título

CDD: 305
CDU: 316

STÉPHANIE SAPIN-LIGNIÈRES

COM ADRIANA PAVLOVA

Nasceu, e agora?

UM GUIA PRÁTICO PARA CUIDAR
DE SEU FILHO NO PRIMEIRO ANO DE VIDA

A
AGIR

APRESENTAÇÃO

Este livro é um guia prático para mães, pais, avós, avôs, babás e familiares, com conselhos preciosos e dicas fundamentais de como lidar com bebês durante o primeiro ano de vida deles. Ele foi escrito pela francesa radicada no Rio de Janeiro Stéphanie Sapin-Lignières, referência absoluta no Brasil na preparação de casais grávidos. *Sage-femme* (parteira) formada na França, com estágio na clínica do mítico obstetra Frédérick Leboyer, papa dos partos humanizados, e com quase quatro décadas se dedicando a trabalhos com recém-nascidos e seus pais, ela já ajudou mais de cinco mil casais, antes, durante e depois do parto. Sua casa-consultório, na Zona Sul do Rio, recebe diariamente uma romaria de pais de primeira viagem em busca de informações, muitas vezes com os bebezinhos nos braços, pedindo ajuda para conseguir amamentá-los sem dificuldade ou querendo descobrir como fazê-los dormir melhor. Muito prática, Stéphanie tem sempre um conselho para cada um, e, por isso, seus ensinamentos atraem pessoas de todo o país.

Neste livro, a especialista (que tem quatro filhos e cinco netos) revela suas melhores técnicas, sugestões e até mesmo segredinhos, já testados por milhares de pais em seus bebês, para lidar com recém-nascidos. Seguindo essas dicas, pais e mães terão dias e noites bem mais tranquilos com seus filhos.

PREFÁCIO

Não é fácil criar filhos. É uma tarefa complexa, árdua, que exige dedicação plena, decisões serenas, mas muitas vezes rápidas. Exige a capacidade de estar presente, de ouvir, de dar atenção, atitudes tão raras na vida moderna. Exige um delicado e constante entendimento entre mãe e pai, em equilíbrio com outros membros da família. Exige a capacidade de suportar o sofrimento de um ser que amamos profundamente, e de às vezes ser o motivo deste sofrimento temporário.

Criar filhos, acima de tudo, exige muito bom senso.

Mas o que é bom senso? Um conceito ligado à sensatez, a expressão "define a capacidade média que uma pessoa possui, ou deveria possuir, de adequar regras e costumes a determinadas realidades, considerando as consequências, para assim poder fazer bons julgamentos e escolhas".

Portanto, no que se refere a criar filhos: tomar as decisões e empreender as ações mais corretas, baseadas na cultura e no contexto em que vivemos; aquelas que trarão os melhores resultados e consequências para nossos filhos.

E de onde vem o bom senso? Do coletivo humano, da experiência refletida na cultura. Ou pelo menos vinha — nessa modernidade onde tudo se transforma com uma rapidez alucinante, já não sabemos se essa afirmação se sustenta.

Até há poucos anos tínhamos algumas referências para a construção do bom senso. Nosso mundo sustentava-se em bases sólidas: a família, que não se restringia a um casal com filhos, mas a avós, tios, irmãos e agregados, vivendo na mesma casa ou muito próximos; o trabalho — as corporações, os sindicatos, depois as empresas; as religiões — até há pouco uma grande fonte de autoridade; os estados nacionais, definidores da vida pública, de padrões éticos; a literatura e outras formas de arte e os valores por elas transmitidos.

O que nos resta, na segunda década do século XXI, de todas estas referências para a maternidade e paternidade? Quase nada. Os pilares da profissão, do estado e da religião praticamente se dissolveram, perderam sua autoridade. As famílias ampliadas se pulverizaram: nas grandes cidades, casais (em especial de classe média) vivem em isolamento em suas casas, quase sem contato com família ou mesmo amigos.

Buscamos referências nos meios de comunicação, em especial: a TV, as revistas e os jornais, e mais recentemente as redes sociais. Entregamos grande parte de nossas decisões como pais e mães, e da educação de nossos filhos às onipresentes mídias — agora permanentemente ao nosso alcance, na palma de nossas mãos, no painel de nossos carros, nas mesas de nossos escritórios e jantares de família.

Neste caldeirão de superficialidade e artificialidade, não é à toa que estejamos tão perdidos na arte de criar filhos. O que nos diz o que fazer é o artigo da revista especializada (que vende publicidade, que tem interesses), escrito muitas vezes por alguém que não tem filhos; a amiga virtual do grupo de mães do Facebook; o programa matinal na TV. Não há autoridade ou tradição: há pulverização, palpites opostos, sugestões mágicas e sem base nem na experiência e muito menos na ciência.

As referências que teríamos em termos de saúde e educação de nossas crianças — pediatras e professores — muitas vezes não podem ou não querem dar atenção às questões que realmente angustiam pais e mães no dia a dia — ocupados que estão com doenças e educação escolar, problemas que naturalmente priorizam em seu atendimento à família.

Haja palpite. Como filtrar, encontrar seu estilo, suas verdades, aquilo que quer para seu filho? Quer colocá-lo para dormir? Você terá trinta livros e milhares de sites e revistas propondo estratagemas radicalmente diferentes; e em nenhum deles o indivíduo, o sujeito que é seu filho, e o contexto em que vive — sua família, nossa cultura — será levado em conta. Como encontrar a referência de autoridade (no melhor sentido da palavra — conhecimento, firmeza, serenidade) que você e seu filho precisam?

Pois eu conheço muitos casais, no Rio de Janeiro, que tiveram esse privilégio.

Conheci Stéphanie Sapin-Lignières em torno de 1995. Desde então, formou-se uma sólida amizade. Aprendi a admirar seu trabalho desde os primeiros encontros. Stéphanie, francesa há muitos anos radicada no Brasil, é uma *sage-femme*, profissão muito difundida na Europa, Canadá e EUA (onde é chamada de *midwife*) — aliás os países do mundo com a melhor saúde materno-infantil. No Brasil seria uma mescla de *doula*, parteira e enfermeira obstétrica. Nosso país ainda tem muito a evoluir na definição dessa profissão essencialmente feminina, que traz tantos benefícios para nossas mulheres e crianças. Fico feliz em ver o movimento de *doulas* crescendo e assumindo um papel importante na gestação e no nascimento.

Mais do que a definição da profissão, vejo a questão semântica como muito mais definidora de quem é Stéphanie: *sage-femme* — uma mulher sábia. Ela representa, para os casais que a procuram, com suas gestações e depois com seus bebês, uma fonte de sabedoria, de conhecimento tradicional e ao mesmo tempo científico, de cuidado, de acolhimento, de carinho, de limites e de orientação de valor inestimável. Em resumo, ela representa para esses casais o bom senso perdido.

Com suas orientações e seu curso, extremamente prático e voltado para as questões mais presentes no cotidiano dos primeiros dias do bebê, ela prepara casais para esse momento de forma sólida e tranquila. Quando o bebê nasce, ela continua seu trabalho, orientando na amamentação e nos primeiros cuidados, muitas vezes indo ao encontro de mães angustiadas com problemas para amamentar ou lidar com os choros de seus bebês.

A diferença entre os casais que passaram por suas mãos carinhosas e os que não tiveram contato com ela é perceptível; eles também cometerão erros — são humanos —, também se angustiarão, mas essa base de conhecimento lhes dará mais tranquilidade e capacidade de lidar com o dia a dia de um bebê. Mais de uma vez vi a intervenção de Stéphanie ao salvar uma família da perda da amamentação; aliviar a angústia e a exaustão de uma mãe que não dormia; ajudar um pai a encontrar seu melhor papel nesse momento. Milhares de casais passaram a demandar um parto mais humanizado por terem passado pelo seu curso.

Sua autoridade provém não apenas de sua formação, mas de sua experiência com milhares de famílias. O que ela nos traz, com este livro, são ideias e conhecimentos que mesclam tradição, ciência e experiência pessoal. Ela representa a avó, a bisavó, a sábia da aldeia, a grande mãe, figura símbolo da sabedoria feminina, que infelizmente perdemos nesses tempos de anomia e excesso de informação.

Suas posturas e opiniões não geram unanimidade, muito menos numa questão tão intensa como o nascimento de um filho, onde para cada tema encontramos centenas de posições diferentes. Mas é justamente por representar um conhecimento coletivo, a experiência acumulada e ao mesmo tempo atualizada que as informações, propostas e sugestões contidas neste livro podem ser cruciais.

Nasceu, e agora? é um presente de Stéphanie a tantos pais, mães e avós que não podem frequentar seu curso e agora têm em mãos uma referência de conhecimento e de experiência sólida para cuidar de seus filhos — com carinho, com cuidado e, sobretudo, com bom senso.

Daniel Becker

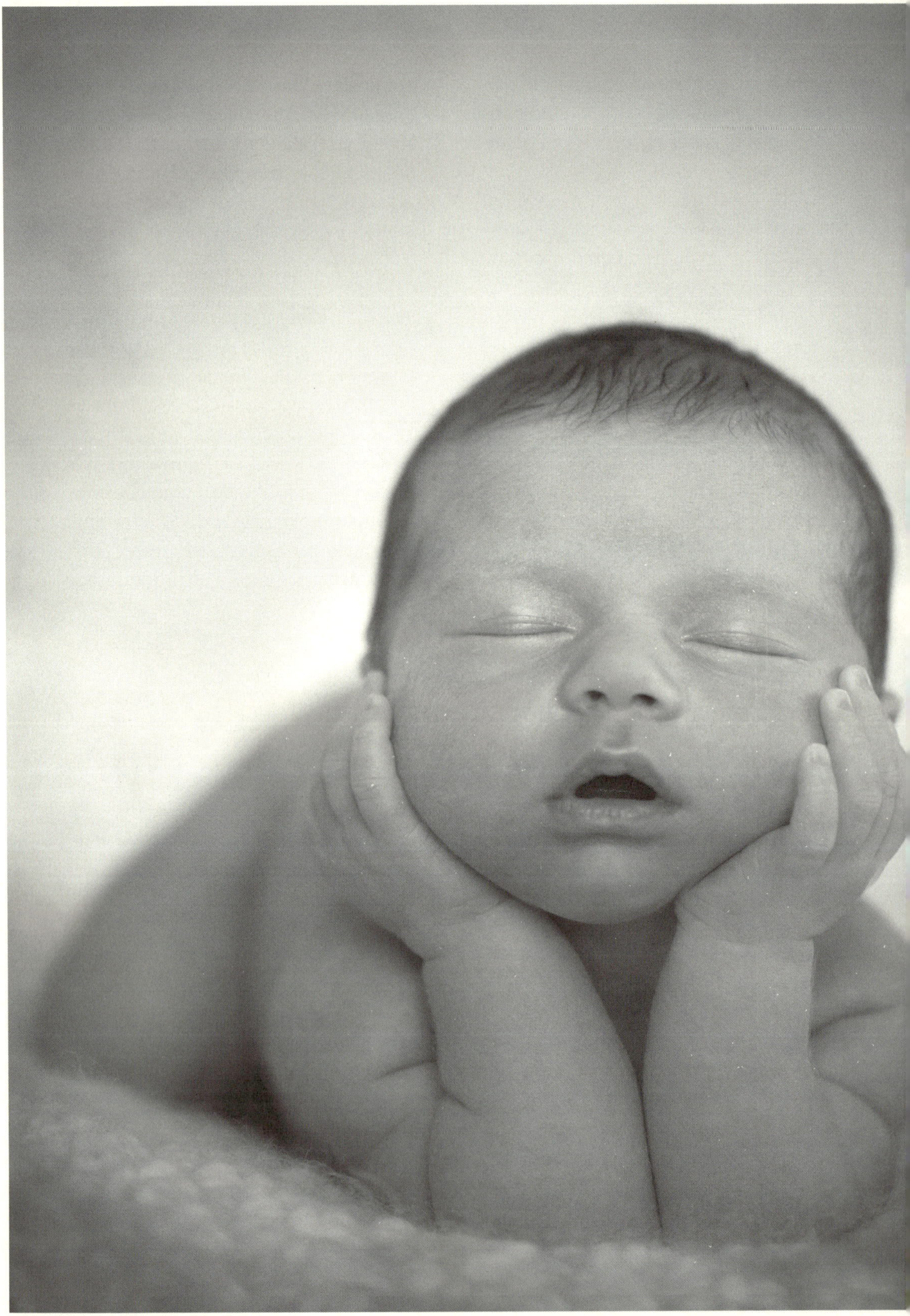

INTRODUÇÃO

Quando um bebê nasce, vem ao mundo também uma nova família. Um pai e uma mãe recém-nascidos, que precisam aprender a encarar os desafios das novas funções num mundo muito corrido, com informação vindo de todos os cantos, o tempo todo — e muitas vezes sem contar com qualquer ajuda de parentes ou amigos.

No passado, era diferente. Havia um grupo familiar formado por bisavós, avós, pais, filhos, primos e tios que viviam e moravam juntos, permanecendo unidos o tempo todo. Quando dois jovens se casavam, continuavam no mesmo grupo, do qual, mais tarde, seus filhos também fariam parte, sendo iniciados pelos mais velhos e aprendendo de forma natural a lidar com nascimento, vida, morte. Todos se ajudavam, adultos e crianças cuidavam juntos dos bebês, cozinhavam, tratavam dos doentes e dos mais velhos. Hoje, o mundo mudou tanto. Quando duas pessoas se casam, engravidam e têm o primeiro filho, ficam sozinhas frente às suas dúvidas e inexperiência.

A verdade é que para a grande maioria dos pais ter um bebê é um desafio enorme, quase sempre assustador, principalmente em se tratando do primeiro filho. Pais e mães têm a mente invadida por desejos e fantasias. Sonham em ter uma criança perfeita, inteligente, linda, que não dará trabalho. Sonham ainda com um parto sem dor, na data mais conveniente. Acham que a vida será igual à de antes do nascimento dos filhos. Claro que o bebê dormirá a noite inteira, mamará sem problemas, enquanto a mãe terá leite em profusão, sem nenhuma dor ou dificuldade.

Ter isso tudo é possível? Claro que não! E a realidade acaba gerando frustração e, às vezes, até depressão. Meu trabalho é ajudar pais e mães a terem uma visão mais realista de tudo que envolve a chegada de um bebê, dando conselhos e dicas para tornar essa aventura mais leve e, sobretudo, mais prazerosa para eles e para seus filhos.

O bebê nasce sem nenhum hábito, esperando que o mundo lhe seja apresentado por seus pais e pelas demais pessoas que o amam. Caberá ao pai e à mãe ensinar como é a vida.

Neste livro, vou dividir minha experiência ao lado de pais e mães de primeira, segunda, terceira viagem... porque cada filho é diferente e sempre há novos aprendizados.

O bebê nasce sem nenhum hábito, esperando que o mundo lhe seja apresentado por seus pais e pelas demais pessoas que o amam. Caberá ao pai e à mãe ensinar como é a vida. Está nas mãos deles o grande desafio de começar essa jornada sem tropeços e maus hábitos, sabendo que muitas vezes será necessário impor limites para que todos vivam da melhor forma.

Durante todos esses anos, ensinando e trocando experiências com pais, sou procurada principalmente para falar de amamentação. A verdade é que há muitos mitos em torno desse assunto, muitos conselhos, muitos palpites. Antes de mais nada, é importante que a mulher se prepare para amamentar, sabendo que não se trata apenas de uma tarefa instintiva.

Minhas décadas de experiência também me fizeram ver a importância de os pais, sobretudo a mãe, terem seus momentos de descanso — pequenas fugas da rotina trabalhosa de ter um bebê em casa. Para isso, defendo que mesmo o bebê que mama apenas no peito seja apresentado à mamadeira depois dos primeiros dez dias de amamentação. As mamadeiras com leite materno — também vou ensinar como tirar e armazená-lo — devem ser usadas três vezes por semana, em ocasiões bem específicas, para que os pais consigam fazer um programa juntos, para que a mãe durma uma noite inteira sem precisar dar o peito e para que finalmente consiga ter um momento só dela e aproveitá-lo do jeito que bem entender (massagem, passeio com amigas ou qualquer coisa que lhe vier à cabeça).

Esta é uma dica libertadora para que a mãe perceba na prática que umas horas longe do bebê não são sinônimo de abandono. Pelo contrário. Ela se sentirá mais leve ao ver que tudo pode funcionar bem quando está distante. Uma mãe mais tranquila será, provavelmente, uma mãe com muito mais leite.

Este livro também é dedicado aos avós que querem se reciclar para receber os netos, auxiliando filhos, filhas, noras e genros no que puderem. E pode ser lido por todos aqueles que participam do dia a dia do bebê e desejam fazer com que o primeiro ano da criança e de seus pais seja o mais tranquilo e feliz possível.

1

NASCIMENTO

Quando engravidei de meu primeiro filho, ainda não sabia nada sobre maternidade ou sobre bebês, e acabei entrando no curso da Stéphanie para ter algum conhecimento acerca do assunto e não ficar tão perdida quando o neném nascesse.

Porém, mais do que uma profunda conhecedora do universo dos recém-nascidos, encontrei ali alguém que ama o que faz e está sempre pronta para ajudar mães em apuros! Assim é a Stéphanie, essa francesa "encantadora de bebês", como costumam se referir a ela.

Devo a ela, por exemplo, a tranquilidade que tive para amamentar meus filhos por quase dez meses, pois soube exatamente o que precisava fazer quando meu leite empedrou ou diminuiu, quando o bico do meu seio rachou... Thiago aprendeu com ela a dar o banho na banheira e no chuveiro. Curtiu tanto que deu todos, absolutamente todos, no Gael até ele completar cinco meses!

Precisei da ajuda dela algumas vezes, e ela sempre esteve disponível. "Stéphanie, socorro, meu filho fica pendurado no meu peito a noite toda. Se afastá-lo de mim, ele chora. O que eu faço? Estou exausta!" Bastava uma conversa pelo telefone e a solução aparecia.

Quando Cora, minha segunda filha, estava com quase seis meses, ela não tinha aceitado, até então, nenhuma mamadeira — o que não me permitia me afastar dela por mais de duas horas —, telefonei para Stéphanie. Eu já estava perdendo as esperanças de reverter a situação depois de inúmeras tentativas frustradas, mas, depois de três horas em sua casa, não é que a danada conseguiu me ajudar?

Já Pilar, minha terceira filha, teve uma prisão de ventre fortíssima no segundo mês, e bastaram duas perguntas para que Stéphanie descobrisse a causa do problema e me desse a solução. E depois ela ainda telefonou para saber se tudo ficou resolvido, se estávamos bem. Santa Stéphanie!

— **VANESSA LÓES, ATRIZ, CASADA COM O ATOR THIAGO LACERDA**

Parto e nascimento não são a mesma coisa. Essa é uma das primeiras lições que costumo ensinar aos casais à espera de um ou mais filhos. O parto é da mãe, enquanto o nascimento é do bebê.

Desde o início da gravidez, o casal deve refletir sobre como deseja que seu filho chegue ao mundo. Essa escolha vai determinar que tipo de nascimento os pais oferecerão a ele. O nascimento pode ser tradicional ou humanizado, independentemente de o parto ser normal ou cesariana.

Nascimento humanizado é o nascimento que, acima de tudo, respeita o ritmo da criança, com o objetivo de que ele venha ao mundo com todo o amor, a paz e a tranquilidade necessários num momento que marcará o resto de sua existência.

Nos anos 1970, o mítico obstetra Frédérick Leboyer alertou o mundo, em seu livro *Nascer sorrindo*, que os bebês, ao sair da barriga da mãe, já são capazes de sentir emoções e dor, de ver e escutar. Pesquisas posteriores confirmaram as observações de Leboyer, abrindo caminho para que os pais cada vez mais optassem pelo parto humanizado.

Feito numa sala aquecida e sem excesso de luz, com música que o bebê ouvia enquanto se desenvolvia no útero materno, o parto humanizado orienta o pai a ficar ao lado da mãe, dando todo o apoio necessário, enquanto os profissionais envolvidos recebem o bebê com muito carinho. O médico não dá palmada nem faz qualquer movimento brusco que assuste o recém-nascido. O pai corta o cordão umbilical e, em seguida, o bebê é colocado, ainda nu, no colo da mãe para se aquecer e mamar. Qualquer procedimento médico só é feito se for necessário, evitando assim a chamada rotina hospitalar e proporcionando ao bebê um atendimento personalizado.

Terminado o parto, a mãe vai para o quarto, enquanto o pai, acompanhado pelo pediatra, leva o filho para o berçário, onde ele é pesado e medido além de tomar uma injeção de vitamina K. Logo depois, criança, pai e mãe se encontram no quarto, para que o recém-nascido se alimente mais um pouco. Enquanto ele mama, prepara-se o primeiro banho, que será dado pelo pai, numa banheira cheia de água bem quentinha. É um banho sem sabão, só para o bebê se aquecer e relaxar, proporcionando um momento de extremo prazer a ambos. Depois do banho, o bebê volta ao peito da mãe para outra mamada, que, certamente, o levará a um sono profundo e tranquilo. Em momento algum o recém-nascido fica longe dos pais.

Há um ditado que diz que a primeira impressão é a que fica. Queremos que este ser que acaba de nascer tenha uma ótima impressão do mundo. Sem medo, com segurança afetiva, ele será um bebê tranquilo e um adulto mais capaz de ser feliz.

Saiba que o nascimento humanizado não é prerrogativa do parto normal. Até mesmo a cesariana pode seguir os preceitos de Leboyer, com um ambiente mais tranquilo e um parto sem estresse.

O bebê pode e deve ficar sob os cuidados dos pais durante toda a sua estadia na maternidade, sem precisar ser levado para o berçário. Para isso, basta que essa decisão seja bem acertada com o pediatra antes mesmo do parto. Infelizmente, os bebês que ficam no berçário costumam receber mamadeiras de leite em pó como complemento. A criança que passa a noite no berçário, em geral, é pega no quarto por volta das 22h30 para só retornar às 6h30. Como o recém-nascido não pode ficar mais de quatro horas sem mamar, sob o risco de ter hipoglicemia — queda do nível de açúcar no sangue —, as enfermeiras lhe dão uma dose de leite em pó durante a noite. É melhor, portanto, que ele fique no quarto com os pais para que possa mamar o colostro — líquido produzido pelo seio nos primeiros dias de amamentação — sempre que desejar, o que estimula a chegada do leite.

2

AMAMENTAÇÃO

A rotina é essencial na vida do bebê e dos futuros pais. Por causa dela meu pequeno se sente seguro com a vida nova que lhe foi apresentada desde que nasceu: acorda dando suas risadas de prazer ao saber que vai mamar sempre naquela mesma hora, que sua fralda vai ser trocada em seguida, que vai ficar limpinho de novo. Percebo ainda que ele já sabe que tem a sobremesa para acalentar seu estômago antes de dormir.

Toda rotina traz muita segurança para os pais, que também precisam estar seguros para retomar a vida e suas atividades. Com os horários organizados, todos da família conseguem se programar, tornando a adaptação muito mais fácil e gostosa.

Como diria um monge chinês: "A disciplina liberta." Quero que meu filho seja livre, e, para isso, preciso trazê-lo para este mundo com segurança. A rotina lhe deu muita segurança!

Obrigada, Stéphanie! Toda a minha família é eternamente grata a você e a seus ensinamentos.

— ALINNE MORAES, ATRIZ

O leite materno é o alimento perfeito para o bebê, com todos os nutrientes necessários e nas quantidades certas para a criança que acaba de nascer. Já vem repleto de anticorpos da mãe, tanto que os bebês amamentados com leite materno estão menos propensos a contrair doenças como gastroenterite, pneumonia e resfriados. É um alimento de fácil digestão, diminuindo a incidência de mal-estar no estômago. Outra vantagem óbvia, mas que deve ser lembrada, é o fato de o leite materno estar sempre à disposição do bebê, em temperatura perfeita, onde quer que ele e a mãe estejam, sem necessidade de acessórios ou apetrechos. Basta colocar a criança no seio e a barriguinha dela ficará cheia, não importa onde ela esteja.

A PRIMEIRA MAMADA

O bebê acaba de nascer e o primeiro grande desafio da vida dele é respirar. Fazer isso não é uma tarefa fácil, pois é doloroso, uma vez que ele precisa abrir os pulmões, o que o faz chorar. Depois de alguns minutos, ele se acalma, respira bem e parte então para a segunda tarefa ditada pelo instinto: procurar algo para sugar.

Ele colocará sua linguinha para fora, buscando o leite materno instintivamente em tudo ao seu redor. Essa é a hora de a mãe ajudá-lo, apertando o seio para que saia um pouco de colostro e fazendo com que ele encontre mais facilmente o caminho para mamar.

Tudo deve ser feito no tempo dele, respeitando cada etapa. O bebê só vai querer mamar depois de sinalizar que já está pronto para isso. Esse sinal, como já foi dito, é colocar a língua para fora.

UM GRANDE DESAFIO

Sabemos que o instinto é o grande aliado da mãe ao dar de mamar. Entretanto, será que é sempre tudo tão fácil como a crença popular costuma alardear? Minha experiência diz que não. Durante todos esses anos acompanhando tão de perto a relação entre mães e seus bebês, percebi que a amamentação é o principal desafio da mulher que acaba de ter um filho.

Perdi a conta das vezes em que recebi mães experientes e de primeira viagem às voltas com problemas nos seios, não raro até sangrando, com bebês abaixo do peso por não conseguir mamar ou mesmo vivendo sete ou nove meses sem qualquer rotina alimentar — algo que tornava a vida da mãe e da família um grande pesadelo. O importante, nessas horas, é não se desesperar, porque esses problemas e muitos outros têm solução. Amamentação é, antes de mais nada, um ato de muita dedicação e profunda entrega da mãe para com o filho.

Depois de superar as dificuldades das primeiras semanas, amamentar se torna um prazer. No entanto, é importante lembrar que as mulheres que não conseguem amamentar não devem ser criticadas e taxadas de péssimas mães: amar um filho vai muito além de amamentar, e com certeza é melhor uma boa mamadeira dada com carinho do que uma péssima mamada no seio, com sofrimento físico ou mental.

É FUNDAMENTAL TER AJUDA

Como todo novo desafio na vida, o importante é se preparar muito bem para realizar esse ato sem dor nem sofrimento. Essa preparação começa justamente durante a gravidez.

Ao deixar a maternidade e ir para casa, a mãe deve tentar esquecer os problemas domésticos e apenas cuidar do bebê. Uma mãe estressada perceberá uma queda na produção de leite. A ajuda para valer é a de quem se propõe a cuidar da casa, das refeições, das roupas e de todas as tarefas que compõem o dia a dia de uma família, enquanto a mãe se ocupa com o bebê. E, claro, não há nada mais importante do que o carinho e o apoio do pai, que nesse primeiro momento deve estar o máximo possível ao lado da mãe.

TAMANHO NÃO É DOCUMENTO

O tamanho do seio, no caso da amamentação, não quer dizer nada. Seios pequenos podem ter mais leite do que os grandes, porque o leite é produzido durante a mamada, e não armazenado no seio. Em geral, as mulheres com seios fartos são mais cobradas pela sociedade e, por isso, devem se preparar para escutar que seu volume é garantia de leite.

ANTES DO PARTO

CONTRA FISSURAS

A primeira dica é tomar sol. O hábito de pegar sol desde o início da gravidez diretamente nas aréolas e nos bicos dos seios vai ajudar a prevenir problemas como rachaduras ou qualquer outro machucado. São apenas dez minutos, em horários em que os raios solares são menos danosos. O ideal é criar o hábito de tomar sol por dez minutos, até as 9h30 ou a partir das 16h30. Esses minutinhos diários vão ajudar a fortalecer a região ao redor dos bicos, onde a pele é muito fina. Saiba que, quanto mais clara a pele, mais frágil ela é. Por isso é importante fortalecê-la durante a gravidez.

Se não tiver um lugar indevassável onde se possa pegar sol com os seios à mostra, a dica é pegar uma camiseta estampada em tons de marrom, tipo oncinha, e fazer um buraco na região da aréola, deixando os mamilos de fora sem que ninguém perceba.

Não esfregue os seios com toalha ou bucha. Se fizer isso, naturalmente, a pele vai engrossar para se defender dessa agressão e formará um calo. Com a força de sucção do bebê, a pele sem elasticidade irá se romper. As piores fissuras que vejo são de mães que esfregaram os seios com toalha ou bucha durante a gravidez.

BICOS DOS SEIOS E PREPARAÇÃO

As mulheres têm vários tipos de bico de peito: normal, sem bico, pequeno e retrátil. Quem não tem bico deve usar o chamado bico de silicone, muito fácil de achar, que é colocado na mama, no lugar do bico natural. O bebê irá mamar através dele. Na maioria das vezes, o uso desse apetrecho é apenas temporário, porque, aos poucos, o bico natural se formará.

Já para a mulher que tem pouco bico ou bico retrátil (ele parece estar escondido dentro do seio), a preparação começa um pouco antes, a partir da 32ª semana de gestação, quando ela deve começar a usar uma concha rígida, todos os dias, o dia inteiro, para ajudar a projetar o bico. A concha deve ser colocada dentro do sutiã, encaixando o bico no pequeno buraco dela. A concha rígida é encontrada tanto em farmácias quanto em lojas de produtos para bebês. Não compre a flexível, já que, por ser feita de silicone, é mole por dentro, não puxando o bico para fora como deveria. Além do mais, como o silicone é um material que gruda na pele, provavelmente vai incomodar. Outra dica é nunca usar a concha durante o sono. Como a maioria das pessoas dorme de lado, ela pode ser pressionada e machucar a região.

MAMAS CAÍDAS

Há mulheres que dizem não querer amamentar porque têm medo de que seus seios fiquem flácidos após temporada de amamentação. Isso só acontecerá se ela não usar sutiã de sustentação, pois os seios aumentam de tamanho e peso durante a gravidez e a amamentação. Se usar esse sutiã de modo disciplinado, durante 24 horas por dia desde o final da gravidez, não haverá problemas futuros. O modelo do sutiã deve ser bem grande e confortável, envolvendo todo o seio.

DEPOIS DO PARTO

OS PRIMEIROS DEZ DIAS

Esses dias são de dedicação integral ao bebê. Um momento de investimento completo na amamentação. O início não é fácil, há muita novidade ao mesmo tempo, enquanto a mulher vai aprendendo a ser mãe e a entender todos os sinais do ser que acaba de sair de sua barriga. Por isso mesmo, costumo chamar esse começo de "fase do salve-se quem puder". Depois dele, tudo vai melhorando aos poucos. Minha principal dica para esse período é deixar que o bebê mame quanto e quando quiser, num processo de "livre demanda". Não há qualquer tipo de regra: o bebê pode tudo, ou seja, pode mamar o dia inteiro, ficar no colo o quanto quiser, dormir junto. A única restrição é nunca deixá-lo sem mamar por mais de quatro horas. Depois dessa etapa, haverá o momento certo para organizar a rotina do bebê.

COLOSTRO

Trata-se de uma substância espessa, transparente e amarelada, com alto poder nutritivo e um potente lubrificante para os primeiros momentos de trabalho do sistema digestivo do bebê. É um líquido poderoso que possui sais minerais, proteínas, hormônios e enzimas que facilitam a digestão e, ao mesmo tempo, é repleto de anticorpos fundamentais nesses primeiros dias de vida do bebê. É importantíssimo para o resto da existência dele.

Nos primeiros dias após o nascimento, o bebê mama colostro. Presume-se que a mãe produza apenas 30ml do líquido, o que parece pouco, porém é suficiente para alimentá-lo no início. Como o colostro costuma sair muito lentamente, quase de gota em gota, a mãe não deve estranhar se o bebê ficar no peito horas a fio nos primeiros três a cinco dias.

É preciso aguentar firme. Esse tempo é importante, porque, com a sucção do bebê, o corpo da mãe recebe a informação de que é necessário produzir leite. Quanto mais o bebê sugar colostro, mais leite a mãe terá no futuro e mais o útero vai se contrair, fazendo a barriga da mãe voltar ao volume de antes da gravidez.

MÃE QUE FEZ CESARIANA COM HORA MARCADA

Não existe mulher que passe por uma gravidez completa e não tenha colostro. A partir do quinto mês de gestação, a mulher já tem colostro — ao apertar o bico do peito, o líquido sairá. A diferença entre mulheres que entraram em trabalho de parto, mesmo que tenham feito cesariana, e as que não entraram começa depois, com a chegada do leite propriamente dito, por causa dos hormônios. No caso das mulheres que entraram em trabalho de parto, os hormônios estão prontos para a amamentação, então o leite chega naturalmente do terceiro para o quarto dia depois do parto. Já após uma cesariana com hora marcada, os hormônios vão demorar mais para se organizarem, e o leite só vai chegar do quinto para o sexto dia.

COLOSTRO NÃO É FRACO

Cuidado com os palpiteiros de plantão, porque muita gente vai dizer que a culpa de o bebê querer ficar muito no peito é do colostro ser fraco, e que ele está passando fome. Vão dizer também que a solução para tudo isso é dar um complemento de leite em pó. A mãe só deve fazer isso se for indicação médica, e a necessidade deve ser bem discutida entre ela e o pediatra, pois complementos podem atrapalhar muito a amamentação. Deixe o bebê descobrir os prazeres da mamada, sem qualquer tipo de restrição.

MELHOR POSIÇÃO PARA SUGAR

O bebê precisa abocanhar o seio e a aréola da mãe, sugando com a boca bem aberta e os lábios virados para fora, lembrando a boca de um peixe. Atenção, porque se ele sugar somente o bico, acabará esticando muito essa parte da mama, o que poderá provocar fissuras na região. Além disso, se ele não sugar da forma correta, o leite sairá com mais dificuldade.

POSIÇÃO ERRADA

POSIÇÃO CERTA

POSIÇÃO NO COLO DA MÃE

Qualquer posição que seja boa para a mãe e para o bebê está certa. Caberá à mãe descobrir como ela e o filho se sentem mais confortáveis. No entanto, qualquer que seja a posição escolhida, é fundamental que o corpo e o rosto do bebê estejam de frente para o seio da mãe, o que lhe dará mais conforto. De outra forma, o corpo dele poderá ficar torcido.

Outra recomendação é nunca levar o seio até a boca do bebê. Fazendo isso, ele será obrigado a segurar o peso do peito com a boca, não aguentará, vai soltá-lo e chorar. O correto é o contrário, levar o bebê até o seio.

Na hora da mamada, a mãe deve deixar o filho inclinado, sempre com o peito mais alto do que a barriga, evitando assim o refluxo gastresofágico — o conteúdo do estômago, no caso o leite e o ácido gástrico, volta para o esôfago porque o anel muscular que controla esse movimento ainda é imaturo e não fecha tão bem —, muito comum em bebês. Ao incliná-lo, a mãe diminuirá essa possibilidade.

DAR DE MAMAR NÃO É PRISÃO

Cuidado, dar de mamar não é prisão. A mãe não precisa se isolar, ficar num quarto escuro, sem falar ou interagir com outras pessoas durante a mamada. A mulher de hoje é ativa, conectada, portanto, nada mais natural do que continuar assim no momento em que estiver amamentando. Isolamento pode, sim, levar à depressão.

A mãe pode dar de mamar enquanto lê, fala ao telefone, vê televisão. O que não pode fazer é se mexer, fazer carinhos ou cutucar o bebê enquanto amamenta, ou seja, a única coisa não indicada é tirar a atenção do bebê. Ele está tão concentrado na tarefa que nem se dá conta do que a mãe está fazendo. Deixe para fazer carinho qualquer outra hora.

SUCÇÃO POTENTE, MAS COM PEQUENOS INTERVALOS

Logo ao nascer, o bebê já tem uma sucção muito potente, mas não consegue mantê-la por muito tempo, uma vez que seus músculos faciais ainda precisam se fortalecer. Por isso, o bebê costuma fazer pequenos intervalos de poucos segundos na sucção.

Nesse momento, é fundamental não incomodá-lo: esses instantes de descanso são importantes para que ele continue logo em seguida. O recém-nascido tem um ritmo muito próprio, que precisa ser respeitado, já que mamar é muito cansativo. Se ele dormir enquanto mama, soltará o bico do peito. Se não soltou, é porque está apenas tomando fôlego para continuar essa difícil tarefa.

BEBÊS GULOSOS E BEBÊS PREGUIÇOSOS

Há, basicamente, dois tipos de recém-nascido: os que dormem muito e os que não param de mamar. A maioria faz parte do segundo grupo.

Se o bebê é do tipo que só quer dormir, nunca o deixe sem mamar por mais de três horas seguidas nos primeiros dez dias. Caso contrário, ele poderá ter hipoglicemia, o que o deixará com ainda mais sono e sem vontade de mamar. Na hora de acordá-lo, é bom seguir todo um ritual para não assustá-lo. O ideal é esfriar o ambiente onde ele estiver e em seguida tirar a roupa dele com muita delicadeza e carinho. Use seu bom senso, tirando as peças necessárias para acordá-lo calmamente.

O bebê que só quer saber de mamar vai dar trabalho nesses primeiros dias, e a mãe deve se preparar para ficar à disposição dele. Enquanto o alimento for o colostro, ele pode mamar durante três horas e dormir apenas uma, depois mamar por mais duas horas e descansar outras duas, em seguida voltar a mamar durante mais duas e dormir apenas uma, para voltar a sentir fome... Serão de três a cinco dias assim: o recém-nascido querendo mais mamar do que dormir. Na realidade, não é a fome, mas seu instinto que o faz querer sugar, não importa o quê.

Há, basicamente, dois tipos de recém-nascido: os que dormem muito e os que não param de mamar. A maioria faz parte do segundo grupo.

"PEITO DO PAI"

Para ajudar nessa hora de muito trabalho para a mãe, há o que eu chamo de "peito do pai". Ele nada mais é do que o dedo mindinho do pai, que vai ajudar a aplacar a vontade do bebê de sugar. Primeiro, é necessário que o pai corte suas unhas bem curtas e lave muito bem as mãos, enxugando-as, mas deixando apenas um dedo mindinho molhado, já que a toalha poderá ter micróbios. Em seguida, ele deve colocar o dedo mindinho com a unha virada para a língua do bebê. O bebê vai sugar feliz, mesmo sem sair nada, porque ele está mais interessado em sugar do que em comer. O dedinho tem uma consistência parecida com o bico do seio, além da temperatura e a profundidade também similares.

CHUPETA

Ainda não é hora de introduzir a chupeta, porque usá-la nesse momento pode atrapalhar a sucção do seio. Não a dê ao bebê nos primeiros 15 dias para evitar a confusão de bicos. Criança que recebe bastante carinho e comida, na maioria das vezes, não costuma precisar de chupeta. Porém, algumas podem precisar dela para cair no sono. Nesse caso, é importante usá-la **apenas** para adormecer o bebê. Não a transforme numa muleta: evite usá-la toda hora quando ele estiver acordado, ou mesmo pendurá-la na roupa dele, deixando-a ao alcance.

MAMADAS DE MENINO E MAMADAS DE MENINA

Às vezes, percebe-se uma ligeira diferença entre as mamadas de meninas e as de meninos. O menino, em geral, é mais voraz e mama mais rápido. O ritmo da menina é mais tranquilo, sem tanta pressa. Porém, os dois mamam a mesma quantidade de leite.

O PEITO E SOMENTE O PEITO

Até a introdução dos primeiros alimentos — o que acontece, se tudo ocorrer bem e a mãe tiver disponibilidade, por volta dos seis meses —, o bebê não precisa de nenhum outro alimento além do leite materno. Nem água nem chá para relaxar; absolutamente nada lhe faz falta se a produção do leite materno for boa. Mas e se estiver um calor de matar? Ele não corre o risco de ficar desidratado? Não, porque o primeiro leite da mamada é bastante aguado. Se a mãe tiver de sair, pode deixar seu leite em uma mamadeira. Porém, se precisar desmamar para trabalhar e passar a dar leite em pó, aí oferecer líquido entre as mamadas se faz necessário.

MULHERES OPERADAS: REDUÇÃO DAS MAMAS E SILICONE

É comum os palpiteiros de plantão falarem que cirurgia de redução de mama impede a amamentação. Vejo que mesmo mulheres que passaram por esse tipo de operação conseguem alimentar, sim, seus bebês com o próprio leite — principalmente nos primeiros meses, quando a demanda do bebê é menor. Depois, às vezes, é necessário um complemento.

As mães com prótese de silicone também terão as mesmas chances de amamentar que as de seios naturais. Nos dois casos, as operadas têm as mesmas dificuldades que qualquer mulher para amamentar.

SEGREDO PARA DAR O LEITE EM PÓ COM O PRÓPRIO SEIO

Há casos em que o bebê não se alimenta apenas do leite materno, o que o impede de ganhar peso suficiente. Por causa disso, o pediatra indica um complemento de leite em pó. Se ele for dado na mamadeira, em cerca de um mês o bebê vai largar o peito. Isso não acontece por falta de laços entre mãe e filho. Saiba que entre o seio com pouco leite e a mamadeira com muito leite, o bebê sempre vai optar pela segunda. Não por ele gostar mais dela do que do peito, e sim por instinto de sobrevivência: há mais leite na mamadeira.

COMO USAR A SONDA

Numa loja de produtos médicos, compre uma sonda de aspiração traqueal número quatro, com apenas um furo. No momento da mamada, coloque a mamadeira com o complemento de leite em pó no seu sutiã, entre os seios. Em seguida, ponha um lado da sonda dentro da mamadeira e o outro próximo ao bico de seu peito. Enquanto o bebê estiver mamando, introduza devagar a ponta da sonda entre seu seio e a boca dele, porque assim ele terá a sensação de que o leite em pó está saindo do seio da mãe.

Essa técnica simples pode ajudá-la muito: ao continuar mamando no seio, o bebê estimula o aumento da produção de leite materno, você fica mais tranquila e, num ciclo natural, produz ainda mais leite. Além disso, o bebê, com a barriga cheia, fará o intervalo normal entre as mamadas, permitindo-a descansar mais e, de novo, produzir mais leite. Está tudo interligado. Se tudo correr bem, logo o bebê estará mamando de novo somente no peito. Além da sonda, pode-se estimular a produção de leite com o uso de uma bomba, depois de cada mamada.

Por isso, o desafio que proponho para que a mãe prossiga na amamentação é conseguir dar o complemento junto ao seio materno, com a ajuda de uma pequena sonda.

MÃE ADOTIVA

As mães adotivas também podem amamentar se quiserem, usando a técnica da sonda. Tenho certeza de que será extremamente prazeroso tanto para ela quanto para o bebê — e às vezes esse procedimento vai ajudar a mãe que não pariu a produzir leite. Já vi muitos casos assim. É claro que, além da sonda, a mãe adotiva terá que estimular a produção de leite de outras maneiras, como: ingerir muito líquido e fazer uso de medicamentos se o médico achar conveniente. O cloridrato de metoclopramida, um remédio contra enjoo, é conhecido por aumentar a produção de leite. Contudo, ele pode ter efeitos colaterais, como dar mais sono e até causar depressão. Lembre-se de que todo medicamento ingerido durante a amamentação deve ser receitado e seu uso acompanhado por um médico.

Outra dica é usar a bomba por dez minutos em cada seio, logo depois das mamadas. Tomar cápsulas de alfafa de 250mg, três vezes ao dia, também ajuda na produção de leite. Mas o mais importante de tudo é tomar no mínimo quatro litros de líquido diariamente.

CASAIS HOMOSSEXUAIS FEMININOS

No caso de um casal homossexual de mulheres, a mãe que pariu o bebê já produzirá leite naturalmente. A outra mãe também pode se preparar para dividir a tarefa se quiser. Para isso, basta seguir as mesmas recomendações feitas para as mães adotivas.

CONTRA FISSURAS OU RACHADURAS

Como a grande maioria dos recém-nascidos mama muito no começo da vida, é natural que o seio materno acabe se ressentindo do atrito contínuo com a boca do bebê. As mulheres costumam ter pequenas bolinhas nas aréolas: são as Glândulas de Montgomery, cuja função deveria ser de lubrificar a região, permitindo que a boca do bebê deslizasse com mais facilidade. Infelizmente, com o uso de roupas ao longo dos séculos, as glândulas lubrificantes atrofiaram-se.

Hoje em dia, resta-nos buscar alternativas para lubrificar essa região, evitando eventuais fissuras ou rachaduras. A melhor opção que vi em minhas andanças pelo mundo pesquisando sobre a relação entre mães e bebês e que recomendo com fervor é a gordura animal. Os pais vão me perguntar sobre cremes à base de lanolina, que vem da lã do carneiro e de fato são melhores do que nada, mas não há nada que se compare à gordura da carne para substituir a que a mulher não produz mais, sem nenhum risco para o bebê.

Mas ela não é suja? Não, as bactérias não se desenvolvem em gordura, e é por isso que ela era usada na conservação de

RECEITINHA CASEIRA

Usar gordura animal para evitar todo tipo de rachadura na região dos seios devido à amamentação é uma prática muito comum entre as mulheres do interior do Canadá. Toda mãe pode produzir sua "gordura animal" para passar nos seios. Basta colocar gordura de vaca bem limpa, sem nenhum vestígio de carne ou mancha de sangue, numa panela em fogo brando até que tudo derreta. Depois, é preciso passar o líquido por um coador esterilizado, depositar num vidro também esterilizado e, em seguida, guardá-lo na geladeira, para que endureça. A mãe deve espalhar uma camada fina dessa gordura nas aréolas e nos mamilos após cada mamada, sem limpá-los antes da próxima refeição do bebê. A gordura vai facilitar o deslizamento da boca do bebê, tornando a amamentação mais fácil e prazerosa, além de ajudar na cicatrização. Não há qualquer prejuízo ou perigo para o recém-nascido. Outra dica é nunca lavar os seios entre as mamadas. O indicado, para não expô-los ainda mais, é apenas limpá-los na hora do banho.

alimentos quando não havia geladeira. O bebê pode ingeri-la sem problema.

ENFIM, O LEITE

Após a fase do colostro, enfim o leite começa a aparecer. É a chamada apojadura. Traduzindo: o corpo da mãe percebeu que há um bebê sugando e, portanto, se prepara para produzir leite. De repente, os seios da mulher ficam enormes, muito quentes, duríssimos, sensíveis e doloridos. É nessa hora que muita gente acha que os seios empedraram. Contudo, não há nada de anormal nesses sintomas. Há, sim, algo parecido com pedras, que nada mais são do que as glândulas mamárias inflamadas, inchadas e doloridas. Isso é ótimo, está tudo acontecendo como deveria. Primeiro, as glândulas incham, para em seguida o leite de fato começar a sair.

Nessa fase, o recém-nascido ainda está mamando o colostro, só que aos poucos começa a sair um leve gostinho de leite, que muitas vezes poderá até mesmo deixá-lo um pouco ansioso. Nada mais natural, pois ele percebe que tudo o que mais quer está chegando, só que ainda em pouca quantidade. Mais uma vez, é hora de ter calma e esperar para que o processo se complete normalmente. Nada de colocar compressa quente ou fria sobre os seios ou mesmo massageá-los. Tudo vai acontecer de forma natural. Algumas vezes, nesse período, é possível que a mulher sinta calafrios e até mesmo tenha um pouco de febre. Nesses casos, é importante conversar com um médico, pedindo indicação de algum remédio que alivie os sintomas.

MASTITE

Um cuidado importante é não confundir apojadura com empedramento. Se, em algum período da amamentação fora da época da apojadura, o leite ficar retido, o seio pode endurecer, inflamar, infeccionar e acabar sofrendo uma mastite. Se a mãe apalpar o seio e sentir um lugar específico duro e dolorido, é essencial ficar de olho, para que se possa diagnosticar no começo. Nesse caso, sim, deve-se colocar gelo e massagear em direção ao bico, para mobilizar o leite que por algum motivo ficou preso. Se a pedra não se desfizer, deve-se procurar um médico.

AINDA SOBRE OS PRIMEIROS DIAS E SUAS DIFICULDADES

A chegada do leite faz parte de um período decisivo para o sucesso da amamentação, no qual a mãe precisa de apoio do pai e de toda a família. São, em geral, dez dias de total e absoluta dedicação, em que dúvidas e inseguranças são frequentes e ganham proporções dramáticas. Além do fator psicológico, a mãe também tem de lidar com o cansaço físico, que é real. São dias difíceis, puxados e fundamentais para que tudo dê certo no futuro. Por isso, costumo chamá-los de "salve-se quem puder". Depois melhora.

É nesse período que o bebê pode perder peso (por volta de 10%), porque nasceu inchado. O ideal é ele voltar ao peso da hora do nascimento no fim dos dez dias. Se não conseguir, cabe ao pediatra investigar o que está atrapalhando o ganho de peso.

UM ATO DE PRAZER

A amamentação, apesar de cansativa, deve ser um ato de prazer. Se a mãe chegou até aqui seguindo todas as dicas e ainda não consegue amamentar com prazer e sem dor, sugiro que procure a ajuda de um profissional. Pode ser o pediatra, o obstetra ou o psicólogo, um grupo de amamentação ou alguém com quem consiga trocar ideias. Hoje, há em todo o país muitas instituições e grupos de auxílio às mães em fase de lactação. Muitas vezes, uma simples conversa, até mesmo pelo telefone, pode indicar o mapa da mina.

APÓS OS DEZ PRIMEIROS DIAS

HORA DE ORGANIZAR AS MAMADAS

Os primeiros dez dias se passaram e agora chegou a hora de organizar a vida. Bebês precisam de rotina e cabe aos pais ajudá-los. Assim, a vida familiar vai ficar bem melhor, com os pais ganhando o tempo fundamental de descanso que tanto merecem e de que precisam nos primeiros meses do pós-parto.

Tenho algumas regras básicas para esse momento de organização das mamadas:

A noite é um reflexo do dia e, ao contrário do que muita gente diz, bebê que dorme bem de dia também vai dormir bem à noite. Para isso, ele deve estar bem alimentado para conseguir embarcar no sono noturno. Não pode e não deve ser impedido de dormir durante o dia para que durma melhor à noite. Isso é apenas crença popular.

Se o bebê mama mais e bem durante o dia, ele vai dormir melhor durante a noite.

Para ficar bem e ter saúde, um bebê precisa, nos três primeiros meses de vida, de oito mamadas por dia. Com uma simples conta, percebe-se que, dividindo as 24 horas do dia por oito, os intervalos entre as mamadas seriam de três horas. No entanto, há outra regra básica de que o bebê, já no primeiro mês, precisa aprender a dormir mais à noite. Por isso, a prioridade é ajustar muito bem as mamadas diurnas, para que a criança mame apenas uma vez durante a madrugada, ou seja, sete mamadas durante o dia e uma de madrugada.

Minha experiência mostra que, se os intervalos entre o início de uma mamada e o da próxima forem de duas horas e meia durante o dia, naturalmente o bebê acordará somente uma vez à noite, contribuindo tanto para o sono dele quanto para o dos pais.

Minha sugestão é começar o dia dando o peito às 7h, com as mamadas seguintes às 9h30, às 12h, às 14h30, às 17h, às 19h30, às 22h e às 3h da manhã. Mas esse é só um exemplo. Cabe à mãe definir a melhor hora para dar a primeira mamada do dia, de acordo com seu ritmo biológico. Há as que preferem acordar e dormir cedo, enquanto outras são o contrário. O bebê, com o tempo, irá se ajustar.

Os horários não são rígidos, porém ajudam a dar um ritmo à amamentação. Se o bebê fizer um intervalo de quatro horas, por exemplo, vai compensar à noite.

Antes dos quatro meses, o bebê dificilmente vai dormir uma noite inteira sem acordar para mamar. Nesses meses iniciais, ele consegue fazer intervalos de quatro a cinco horas, o que já é um alento para a mãe que precisa dormir.

A boa notícia é que, se o bebê tiver uma rotina de mamadas desde o começo, por volta dos quatro meses vai conseguir passar uma noite inteira sem sentir fome, dormindo, muitas vezes, até nove horas sem interrupção.

O PASSO A PASSO DAS MAMADAS

Nos primeiros três meses, serão seis mamadas iguais e duas diferentes (a do banho e a da madrugada).

MAMADAS DIURNAS

Na hora das mamadas diurnas, a mãe pega o bebê e o deixa mamar até ele dormir ou soltar o seio, fechar a boca ou simplesmente ficar *chupetando* — transformar o peito da mãe em chupeta, fingindo que está em ação sem sugar.

Ao parar de sugar, é hora de colocá-lo no ombro para arrotar.

COMO SEGURAR O BEBÊ NA HORA DO ARROTO

O ideal é ir tentando até descobrir a melhor posição para fazê-lo arrotar, sabendo que para isso acontecer ele tem que ficar com o corpo na vertical. A posição clássica é encostar a criança no seu corpo, colocando os dois bracinhos dela para trás do ombro. Deve-se colocar a criança na melhor posição e até dar pequenos tapinhas na altura do bumbum, mas não é preciso passar de três minutos nesse ritual. O bebê que tiver de arrotar irá fazê-lo. É bom lembrar que há bebês que simplesmente não arrotam.

TROCA DE FRALDA

Em seguida, troca-se a fralda. Outra dica importante é **não** trocar a fralda do bebê antes do início da mamada — ele pode vir a odiar esse momento porque vai associá-lo à fome. Como bebês costumam evacuar durante a mamada, não adianta limpá-lo antes. Depois de mamar, mesmo que a fralda não esteja muito suja, é bom trocar para criar uma rotina.

SOBREMESA

Depois da troca da fralda, já limpinho, o bebê volta ao **mesmo** seio do começo da mamada. Este é o momento chamado por mim de sobremesa, no qual o bebê vai complementar por poucos minutos a mamada. Tenha cuidado para não acostumá-lo a ir do peito ao berço.

BRINCADEIRAS ANTES DO SONO

Ao terminar a mamada, chegou o momento de estimular o bebê, com a intenção de cansá-lo, para que pegue no sono profundo e não tire apenas um cochilo. A hora de atividade é, na verdade, uma série de brincadeiras simples entre os pais e o bebê, para que ele fique com mais sono. É divertido segurá-lo de frente, olhando para o seu rosto e aproveitar para conversar, emitir sons, sorrir, cantar. O bebê vai adorar, por exemplo, ouvir seus sons repetidos por um adulto. É importante fazer contato visual e prestar atenção ao que o bebê expressa. Ele ainda não fala, mas se comunica com o corpo. Quando começa a bocejar, a se queixar, a resmungar, quer dizer: "Chega de atividades, estou cansado, quero dormir." É hora de colocá-lo na cama, depois de embrulhá-lo como se ele estivesse no útero. Uma sugestão é repetir sempre a mesma frase, para que ele se acostume e no futuro já saiba, ao ouvi-la, que é hora de dormir.

O bebê deve ser bem embrulhado e ninado, mas não pode dormir no colo. Ele deve chegar ao berço quase dormindo, só que ainda de olhos abertos, para que veja e entenda onde está.

Menciono esse assunto no **Capítulo 3**.

CICLO

Resumindo, das oito mamadas do dia, seis são assim: mama, arrota (às vezes não), troca a fralda, mama mais um pouco, brinca e dorme até a próxima mamada.

ÚLTIMA MAMADA DO DIA

A mamada que acontece por volta das 22h é um pouco diferente porque é a hora oficial do banho com sabão. E o banho (mais detalhes no capítulo sobre banho e higiene) acontece justamente no meio da mamada. Em vez de atividades, é hora de relaxá-lo com um banho que irá fazê-lo dormir logo depois. Assim, seguindo as dicas anteriores, a mãe deve aproximar o bebê do seio, deixá-lo ali até ele acabar de se alimentar e então dar o banho. Depois, ele volta ao mesmo seio para que dê os últimos goles no leite, como sobremesa. Repito: é importante colocá-lo no berço antes que adormeça totalmente.

MAMADA DA MADRUGADA

Esta é a única mamada que não é possível programar. O bebê vai começar a reclamar de fome quando quiser e isso normalmente acontece por volta das 3h.

Trata-se de uma mamada diferente, na qual a mãe fará tudo para que ele continue mergulhado no sono. Embora esteja com fome, ele não vai querer acordar por ainda estar com sono.

À noite, a recomendação mais importante é a de não deixar que o bebê chore, pois, se fizer isso, ficará alerta e demorará mais para ele voltar ao sono de novo. Não é fácil para a mãe conseguir se levantar assim que ouve o choro, diante do cansaço de um dia inteiro de dedicação, mas sua rapidez fará toda a diferença no meio da noite.

Como ele está sentindo fome, antes de efetivamente acordar, vai começar a se remexer no berço, reclamando baixinho. É esse o primeiro sinal para a mãe levantá-lo, pegá-lo do jeito que estiver e logo lhe dar o seio. Tudo no escuro. Muito cuidado para que ele não abra os olhos. A mamada deve ser feita com ele sonolento. Assim que ele largar o seio, basta colocá-lo de volta no berço, mesmo sem arroto.

Não se deve nem mesmo trocar a fralda. O bebê pode ficar sujo durante algumas horas sem ficar assado. As fraldas de hoje absorvem a sujeira, muito diferente das de pano do passado, que ficavam geladas.

O bebê que mama de madrugada sem acordar vai conseguir ficar tranquilamente uma noite inteira sem comer a partir dos quatro meses.

DURAÇÃO

Não existe uma duração ideal para a mamada, já que cada bebê tem um ritmo. O importante é observá-lo com atenção, nos mínimos detalhes, para ver até que ponto ele está mamando de verdade ou se está apenas *chupetando*, com vontade de ficar grudado na mãe. A mamada não pode passar de uma hora, porque nenhum bebê mama com vontade durante tanto tempo (a não ser na fase do colostro). Aqueles que teimam em ficar horas a fio no peito devem ser retirados com doçura e distraídos para que descubram que há mais coisas no mundo além dos seios da mãe. Não é uma tarefa fácil, mas trata-se de algo necessário para o bom ritmo das mamadas.

O tempo da mamada não quer dizer muita coisa. Tem bebê que mama rápido e se alimenta muito bem e tem o que fica muito tempo no peito e não mama o suficiente. A observação da mãe e as consultas médicas vão indicar se tudo está indo bem.

UMA MAMADA EM APENAS UM SEIO GARANTE O LEITE QUE ENGORDA

Durante uma mamada, o corpo da mãe produz diferentes tipos de leite. Logo no começo, é produzido o chamado primeiro leite, um líquido mais aguado, porém rico em sais minerais. É justamente na sucção desse primeiro leite que o hipotálamo da mulher é acionado — um processo interligado que passa a estimular também a hipófise, responsável pela liberação dos hormônios prolactina, que responde pela produção de leite nas glândulas mamárias, e oxitocina, conhecido como hormônio do amor, que faz a ejeção do líquido das glândulas mamárias até os seios lactíferos, reservatórios de leite, atrás das aréolas. Esse sistema todo é conhecido como Reflexo de Let Down (em português, "deixa descer"), um processo que, em sua sequência, faz com que o chamado segundo leite desça. Trata-se do leite gordo, poderoso, que leva o bebê a realmente engordar. No total, a cada mamada, um bebê de até três meses costuma ingerir de 90 a 120ml de leite. Aos quatro meses, ele provavelmente estará mamando cerca de 150ml.

Para garantir que o bebê se alimentará do leite gordo, a principal tática é deixá-lo mamando em apenas um seio por vez até os três meses. Assim, não haverá dúvidas de que está sugando o leite mais nutritivo. Depois dos três meses, quando a necessidade de leite do bebê será bem maior, é hora de alternar os seios. A dica é começar a mamada sempre pelo seio no qual ele mamou por último na mamada anterior, porque, com certeza, será o mais cheio de leite.

E como você vai descobrir que chegou a hora de alternar os seios numa mesma mamada? É fácil, porque o próprio bebê vai começar a se queixar depois de ter mamado um pouco no seio, indicando que está vazio e que é hora de trocar. Normalmente, os meninos precisam começar a mamar nos dois seios antes das meninas.

AS TRÊS MAMADEIRAS REDENTORAS

Mãe não é Mulher-Maravilha. Mãe que amamenta precisa e deve descansar, tem de fazer massagem e unha, ler um livro, encontrar as amigas e, claro, dormir uma noite inteira. Pai e mãe que têm um bebezinho em casa também devem namorar...

A verdade é que o bebê não pode depender única e exclusivamente da mãe, porque senão o que já é difícil fica ainda mais. É nesse momento que recomendo o uso das mamadeiras redentoras com leite materno. Com elas, ninguém perde; pelo contrário: bebê, mãe, pai e todos que estão em volta da nova família ganham. Lembre-se de que a mãe é um ser humano, pode ficar doente, pode ter um compromisso inadiável... Por isso, a importância de ter uma alternativa ao peito materno.

Se o bebê estiver dentro do peso esperado, as três mamadeiras semanais de leite materno devem começar a ser usadas logo depois dos dez primeiros dias de amamentação, quando recomendo o início das oito mamadas diárias.

Outra razão é acostumar o bebê à mamadeira. Sim, é importante também que ele a conheça e saiba mamar nela, para caso de necessidade. É claro que existem exceções, mas bebê que nunca provou uma mamadeira até os três meses pode rejeitá-la para sempre. E não vai ser por causa dessas três mamadeiras semanais que ele irá preferi-las em vez de um peito cheio de leite (e de carinho). O peito com leite farto sempre fará mais sucesso com o bebê. Ele só prefere a mamadeira quando o peito não tem leite suficiente.

CINQUENTA E TRÊS MAMADAS NO PEITO E TRÊS NA MAMADEIRA POR SEMANA

As três mamadeiras semanais são do leite da própria mãe, armazenado ao longo dos dias e muito bem conservado. Ao todo, são 56 mamadas semanais (oito por dia): 53 diretamente no peito e três na mamadeira de leite materno.

As três mamadeiras serão usadas em ocasiões diferentes. Recomendo:

Uma mamadeira para que a mãe consiga dormir uma noite inteira por semana. Ela será dada de madrugada pelo pai (ou por outra pessoa), que dorme seis noites e assume uma.

Uma mamadeira para que a mãe tenha uma tarde livre por semana para fazer o programa que preferir.

E, finalmente, uma mamadeira para que os pais consigam dar uma escapada e façam um programa a sós uma vez por semana.

Essas mamadeiras vão permitir que os pais percebam que não são escravos do filho e que continuam tendo vida própria depois do nascimento da criança.

COMO TIRAR LEITE

Uma bomba tira-leite elétrica pode ser usada a fim de garantir leite para armazenamento. É melhor retirá-lo de manhã, quando há mais leite nos seios, depois da primeira mamada do dia. Se tirado imediatamente após a mamada, não diminuirá a quantidade da seguinte.

Outra fonte de leite para armazenamento é a que sai naturalmente nas conchas. Enquanto o bebê estiver mamando num seio, o leite sai na concha esterilizada colocada no outro. Esse leite pode ser guardado.

ARMAZENAMENTO

Todo o leite retirado do seio materno para uso posterior tem uma “data de validade”. Fora da geladeira, na concha esterilizada, é bom não passar de três horas. Ele deve ser colocado na geladeira, dentro de um recipiente esterilizado. O excedente de várias mamadas pode ser armazenado durante no máximo 24 horas. Se achar que irá passar disso, leve ao congelador, onde pode ser armazenado por até três meses. Lembre-se de que, depois de congelado, não é possível acrescentar mais nenhum leite no mesmo pote. É importante colocar etiquetas com a data indicando quando o leite foi congelado.

E como se fazer para esterilizar os potes (que podem ser de vidro ou plástico sem BPA, ou mesmo uma mamadeira com uma tampa no lugar do bico)? Coloque o pote numa panela com água, deixando que ferva durante cinco minutos. Depois disso, estará pronto para ser usado. Também é possível colocá-lo no esterilizador do micro-ondas.

OS GRANDES INIMIGOS DA AMAMENTAÇÃO
Falta de líquidos: a mulher que amamenta precisa beber líquido o dia inteiro. Nunca menos do que quatro litros. A cerveja preta, que era conhecida por ajudar na produção de leite, deve ser evitada. É uma lenda popular que não se sustenta.

Cansaço ou estresse: é natural que a mãe fique cansada nos primeiros meses, mas esse cansaço não pode ser absurdo. É importante entender o limite do corpo, que é diferente para cada mulher. A recomendação é evitar tudo o que possa cansá-la excessivamente. Ela deve se restringir ao indispensável nos cuidados do bebê, o que já é bastante, sobretudo no primeiro mês. Nesse momento, toda a ajuda de familiares e de pessoas próximas é bem-vinda. A mulher que acabou de parir não deveria se preocupar com assuntos domésticos, como comida para almoço ou jantar, arrumação ou compras. O foco deve ser o bebê e tudo que diz respeito a ele. A curva de produção do leite está diretamente relacionada ao cansaço ou ao estresse da mãe: mulher exausta, preocupada e irritada vai produzir menos leite.

DICAS PARA AUMENTAR A PRODUÇÃO DE LEITE

A grande dica é espalhar garrafas de água pela casa e beber muito líquido, principalmente durante as mamadas. Como a mãe sente muita sede durante a amamentação, deve aproveitar para beber água, sucos, chás especiais para quem amamenta — que estão à venda nas lojas de produtos naturais — e água de coco. Bebidas estimulantes, como chá preto, chá-mate, café e refrigerante de cola, devem ser evitadas.

Alfafa, planta que o gado come no pasto, também é um importante auxiliar para o aumento da produção de leite. Cápsulas de concentrado de alfafa são um complemento alimentar para quem já tem bastante leite e um estimulante para quem tem pouco. Para quem produz bastante leite, uma cápsula de 250mg por refeição, num total de três vezes por dia, ajuda a manter a produção. Quem precisa aumentar a quantidade de leite pode tomar quatro cápsulas durante o dia, junto com as refeições, num total de 1g.

O QUE COMER E O QUE NÃO COMER

Muito se fala também sobre o que a mulher deve ou não comer durante o período em que está amamentando. O fundamental é se alimentar bem, com comida saudável, sem paranoia com o peso. A mãe que amamenta perde de oitocentas a mil calorias diárias, o que facilita a perda do peso adquirido durante a gravidez. Além disso, ao sugar, o bebê ajuda a contrair o útero da mãe, o que acelera o processo de retorno da barriga ao tamanho normal.

O bebê passou nove meses ingerindo líquido amniótico, que tem gosto de tudo o que a mãe come. Um bebê indiano conhece muito bem o gosto de *curry* desde o ventre materno, enquanto um da região mediterrânea não vai estranhar o sabor do alho, típico da comida provençal. Por isso, é imprescindível que cada bebê reconheça no leite materno aqueles gostos aos quais foi acostumado na barriga da mãe. Se ela ingerir os mesmos alimentos que comeu durante a gravidez, provavelmente não haverá problemas.

É o caso da pimenta. De novo, se a mãe fez uso regular de pimenta durante a gravidez, a exemplo de uma mulher mexicana, o bebê estará acostumado com o tempero e não estranhará quando ela o usar. Já para aquelas que evitaram a pimenta durante os nove meses de gravidez, melhor continuar evitando na amamentação.

Muita gente transforma o feijão num vilão durante a amamentação, o que, na minha opinião, não tem qualquer fundamento. O feijão realmente pode fermentar no intestino da mãe, produzindo gases, mas sem afetar o bebê. O recém-nascido não vai digerir grão; apenas os nutrientes do alimento vão passar para o sangue da mãe e, consequentemente, para seu leite. O leite poderá ter até um leve gosto de feijão, porém o bebê não terá gases por causa dele.

Não é hora de descobertas culinárias nem de grandes invenções. Se a mãe que amamenta viajar, deve evitar extravagâncias gastronômicas. O melhor é optar pela comidinha de sempre.

A VOLTA AO TRABALHO

COMO SE PREPARAR

O ideal é que o bebê chegue aos seis meses apenas se alimentando com o leite materno. Contudo, se a mãe precisa voltar ao trabalho e não consegue tirar ou estocar leite suficiente, outros alimentos devem ser introduzidos.

Esse processo deve começar um mês antes da volta ao trabalho. Não importa se a criança só mamou leite materno até os quatro, cinco ou seis meses, a introdução de outro alimento é sempre delicada. Se for malfeita, pode atrapalhar a relação do bebê com a comida. É preciso paciência para fazer tudo com muita calma. São quatro etapas de sete dias cada uma:

PRIMEIRA SEMANA A primeira etapa consiste em substituir a segunda mamada do dia (por volta das 9h) por suco de fruta, de preferência de laranja-lima e coado. Possivelmente, o bebê vai estranhar o suco num primeiro momento, porém não deve ser forçado a beber. De tentativa em tentativa, uma vez por dia, em breve ele vai se acostumar. No caso de rejeição, a mãe nunca deve dar o peito imediatamente. Assim a criança nunca aprenderá que vale a pena provar. Normalmente, em uma semana, ela vai tomar suco suficiente para aguentar até a próxima mamada. Suco de maçã, pera e melancia ou até água de coco podem ser testados.

SEGUNDA SEMANA Nessa segunda fase, é a vez de apresentar a papinha de frutas no lugar da mamada do meio da tarde. As frutas mais indicadas são banana, mamão, figo e caqui, em geral mais bem-aceitas pelas crianças nessa fase. A fruta deve ser amassada e passada numa peneira, para evitar que qualquer pedacinho possa causar ânsia de vômito no bebê. Até mesmo o alimento pastoso é uma novidade e qualquer pedaço de fruta pode causar certo estranhamento. Coloque o bebê na cadeirinha, sem medo de sujá-la, porque é hora de muita lambança. É também um momento lúdico, em que ele vai descobrir sabores e texturas.

Outra dica é a pessoa que for alimentá-lo ficar bem na frente do bebê, ensinando os movimentos de mastigação e deglutição, que ele não conhece. Ele imita tudo e vai copiar o que o adulto está fazendo.

Um pouco de papinha deve ser colocado na frente do bebê, deixando que ele enfie as mãos e coloque na boca, para experimentar. Só aí a pessoa que o estiver alimentando deve colocar a papinha na boca dele, com cuidado, com uma colher de silicone. É preciso ter paciência. A sujeira toda faz parte do ritual de descoberta.

Provavelmente o bebê vai comer muito pouco na primeira vez. No final, ele deve ser tirado da cadeirinha e levado direto para o banho, que não é o banho oficial do dia, e sim uma chuveirada rápida, sem sabão, apenas para tirar a fruta espalhada pelo corpo. De novo, caso ele não tenha comido o suficiente, a mãe deve oferecer o peito. Durante essa semana, com certeza chegará a hora de cortar de vez a mamada desse horário.

TERCEIRA E QUARTA SEMANAS A terceira semana será marcada pelo início da papinha salgada, que substituirá a mamada do almoço. Antes de tudo, a papinha deve ser saborosa, levando temperos com que a mãe está acostumada. Nada de comida de hospital.

Na quarta semana, a papinha salgada será introduzida no jantar, que deve ser exatamente a mesma do almoço, porque o bebê adora repetição em tudo, da comida às brincadeiras.

FIQUE DE OLHO

Leite de vaca e derivados: existem alimentos que devem ser ingeridos com certa precaução. É o caso do leite de vaca e seus derivados. Se forem ingeridos em altas doses pela mãe, podem, sim, acabar incomodando o bebê. A proteína do leite de vaca é maior do que a do leite materno, indo inteira para o sangue e depois para o leite da mãe. Ela não dará cólica no bebê, mas pode dificultar a digestão dele. Somente em casos extremos é necessário cortar de vez o leite de vaca e seus derivados da alimentação da lactante. Nesses casos, deve-se ter bastante atenção na quantidade com que esses alimentos são ingeridos diariamente. Se a mãe tomar um café com leite, acompanhado de pão com requeijão e ainda um iogurte, extrapolará a quantidade indicada. No entanto, se espaçar esses alimentos ao longo do dia, provavelmente não haverá problemas. A dica é evitar consumir grandes quantidades deles antes de uma mesma mamada.

Comida japonesa: se fizesse mal à mãe que amamenta, não haveria mais japoneses no mundo. Só que o menu japonês usa sem parcimônia o famoso peixe cru, que, se não estiver muito fresco ou não for manipulado com extrema higiene, pode vir a provocar uma intoxicação, com consequentes diarreia e desidratação, que fatalmente diminuirão a produção de leite da mãe. Por isso, durante a amamentação, é bom evitar comida japonesa de procedência desconhecida ou pouco confiável, assim como qualquer alimento que possa se deteriorar com facilidade num país quente como o Brasil.

Bebida alcoólica: é um problema sério durante a amamentação e deve ser evitada a todo custo. Ao ser ingerida, é absorvida imediatamente pelo sangue da mãe e, em seguida, vai para o seu leite, sem qualquer filtro. Uma dose de álcool que para a mãe pode ser pequena será enorme para o bebê. Se ela ingeriu álcool, o bebê pode dormir tão profundamente a ponto de não acordar nem para mamar, o que poderá provocar desidratação.

Minha sugestão para a mãe que realmente queira beber um copo de cerveja ou uma taça de vinho é substituir por mamadeira (de preferência, do próprio leite) as mamadas posteriores à ingestão do álcool. No entanto, não é fácil precisar exatamente quando o álcool foi eliminado do corpo materno. Hoje, nos Estados Unidos, é possível comprar um produto chamado Milkscreen — uma espécie de bafômetro para o leite. A mãe coloca uma gota de leite numa tirinha e, dependendo da cor que surge, descobre se ainda há vestígio de álcool no sangue.

Chocolate: por se tratar de um alimento estimulante, o chocolate também deve ser ingerido com parcimônia durante a lactação. Não é preciso eliminá-lo totalmente, apenas ficar de olho nas doses diárias. Um brigadeiro ou um bolinho de chocolate de vez em quando não farão mal nenhum.

Nessa lista do que deve ser evitado, estão ainda os frutos do mar e produtos à base de ovo. Em relação aos demais alimentos crus, é melhor comê-los apenas em casa e somente depois de deixá-los de molho no cloro, evitando assim qualquer tipo de contaminação.

A dica é colocar um alimento de cada cor por vez, num total de três para cada papinha: 1 de cor verde + 1 de cor vermelha ou laranja + 1 de cor branca ou amarela. As cores dos alimentos indicam seus nutrientes principais, por isso é bom ter um pouco de cada.

Tudo deve ser cozido junto, depois passado numa peneira. O ritual para dar a comida salgada ao bebê será semelhante ao da papinha de fruta. Eles não costumam gostar de comida fria, portanto, o prato deve estar levemente morno.

Também é importante não variar os sabores logo no começo. Criança gosta de repetição; ainda mais na fase de descoberta de sabores. Troque pelo menos um legume ou uma folha semanalmente.

Como praticidade é tudo na vida, pode-se fazer uma quantidade de papinha suficiente para algumas refeições e congelar em potes o necessário para cada almoço e jantar. Muita gente congela em forminha de gelo e descongela apenas a porção para cada refeição.

ATENÇÃO Sempre dê preferência às papinhas feitas em casa, mas, caso precise recorrer às industriais, saiba que normalmente as papinhas doces levam algum tipo de açúcar. Entre as salgadas, escolha as cujo rótulo indica que contêm menos sal. Não é preciso se preocupar: elas não têm produtos químicos.

Fruta de sobremesa deve ser dada somente a partir do oitavo mês, quando

RECEITA
Refogue um pouco de alho e de cebola em uma gota de óleo, depois coloque água, alguns legumes e um pedaço de carne, de preferência músculo, por ter pouca gordura.

SUGESTÃO DE LEGUMES PARA UMA PAPINHA

Cor branca (batata) + cor verde (espinafre) + cor laranja (cenoura). Pode-se trocar a batata por batata-baroa (mandioquinha) ou inhame, e trocar a cenoura por abóbora ou beterraba. No caso do espinafre, ele poderá ser trocado por brócolis, couve-flor ou chuchu.

a criança precisará de mais alimentos para saciar a fome. Não se deve oferecer nenhum alimento com açúcar, como geleia de mocotó ou biscoito de maisena, até os dois anos. A Organização Mundial de Saúde (OMS) já declarou o açúcar como o grande vilão de nossa época, por criar dependência se for dado antes dessa idade.

ATÉ QUANDO IR COM A AMAMENTAÇÃO?

Normalmente a criança larga o seio sozinha, antes de completar o segundo ano de vida. Se até os dois anos ainda faz questão do peito da mãe, minha sugestão é que a família procure um psicólogo para receber ajuda nesse momento de desmame. A mãe não deve se sentir na obrigação de amamentar ou culpada por ter de se ausentar. Ela pode finalizar o processo quando quiser, deixando isso claro para o filho. Porém, o ideal é que a criança pare quando tiver vontade.

TABELA DE ALIMENTAÇÃO

Depois da introdução dos alimentos, o bebê deverá ter a seguinte rotina de alimentação:

6h/7h Mamada
10h Suco
12h30 Almoço (papinha salgada)
15h30 Papinha de fruta
18h30 Jantar (papinha salgada)
21h30 Mamada

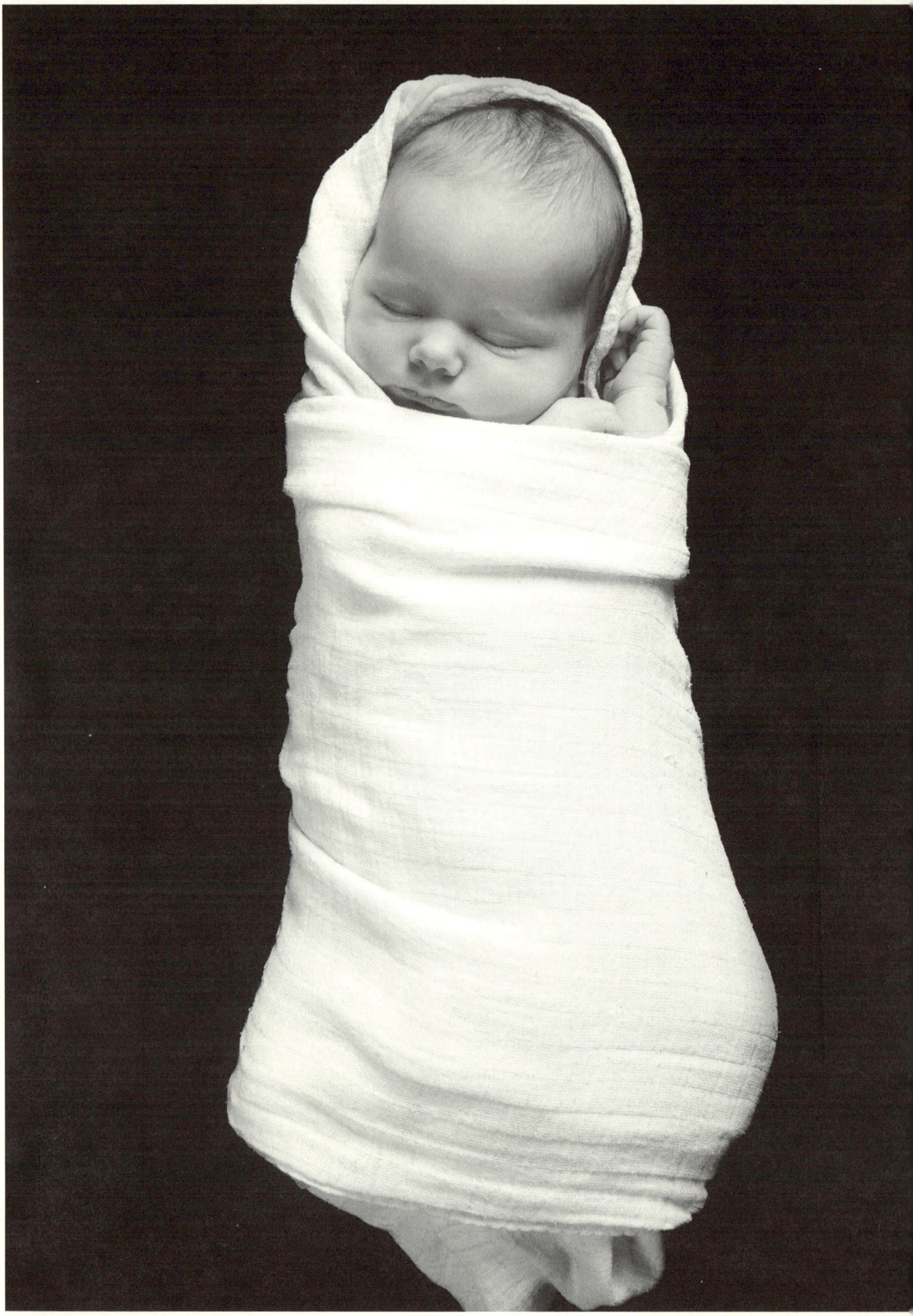

3

RITUAL DO SONO

Fiz o curso da Stéphanie duas vezes. Na primeira gravidez, como toda mãe de primeira viagem, queria me sentir mais segura e preparada para a chegada da Manuela. Achei o curso muito completo, tanto na teoria, quanto na prática. Além de dar muita informação e tirar nossas dúvidas, nos ensinou a dar banho e a trocar fraldas. Meu marido, mesmo tendo duas filhas de um primeiro casamento, participou dos banhos e da aula de parto, e gostou muito.

Na segunda gravidez, a proposta era diferente. Levei a Manuela, então com quatro anos, para participar do processo de chegada do irmão. Ela aprendeu a dar banho, trocar as fraldas e ouviu atentamente cada palavra dita pela Stéphanie. Foi lindo e emocionante. Tenho certeza de que isso ajudou muito. Fez com que ela se sentisse capaz e com vontade de me ajudar com o Rodrigo. Posso dizer que o curso me deixou muito tranquila com a questão do parto e da chegada dos meus dois filhos, e, mais do que isso, a relação que mantive depois com Stéphanie me ajudou muito também após os partos: na amamentação, nas cólicas e também nas dúvidas que aparecem até hoje envolvendo as crianças. Sempre disponível e muito paciente, Stéphanie, com certeza, fez diferença nesse momento tão importante da minha vida.

— CYNTHIA HOWLETT, APRESENTADORA, CASADA COM O ATOR EDUARDO MOSCOVIS

O sonho de todos os pais é que seu bebê durma bem e, principalmente, muito. Não é uma tarefa difícil se, desde o começo, for estabelecida uma rotina saudável. Todo bebê precisa ter um ritual de sono, que fará o corpo dele perceber que é hora de se acalmar e dormir.

NO COMEÇO, BEM PERTINHO DOS PAIS

Ao chegar da maternidade, os pais costumam se perguntar se é melhor deixar o bebê dormir já em seu quarto ou no quarto deles. Pelo menos nos dois primeiros meses, a melhor opção é deixá-lo próximo, podendo ser usado para isso o próprio carrinho, o moisés ou qualquer outro tipo de bercinho.

E por que deixá-lo no quarto dos pais? Para que se sinta bem e fique tranquilo, ele precisa perceber que a mãe está por perto. Estudos comprovam que é somente aos oito meses que ele vai perceber que não está ligado fisicamente à mãe. Por isso, não se pode cortar o cordão umbilical (no sentido figurado) tão de repente. O distanciamento entre mãe e filho deve ser feito aos poucos. Tanto recém-nascido quanto nos primeiros meses, ele precisa sentir o cheiro da mãe. Pesquisas indicam que um bebê consegue até identificar o batimento cardíaco de sua mãe estando a uma boa distância dela. Contudo, ele não deve ultrapassar os três meses de idade no quarto dos pais. Senão, já era.

RITMO DA CASA

Toda casa tem seu próprio ritmo e é importante o bebê entendê-lo e adquiri-lo. O útero em que ele ficou por nove meses é um lugar muito barulhento, pois o intestino da mãe emite muitos sons; há também o coração, o ar entrando e saindo dos pulmões, o fluxo de sangue, além da voz da mãe que ressoa por dentro de seu corpo, amplificada. Junte os sons de fora, percebidos pelo bebê mais no fim da gravidez. Durante os nove meses, o bebê nunca esteve em silêncio, que chega a ser assustador para ele.

APRENDENDO O QUE É DIA E O QUE É NOITE

Da mesma forma, logo que chegar da maternidade, o bebê deve aprender o que é dia e o que é noite, para que seu relógio circadiano (relativo à duração de um dia) funcione bem desde o começo de sua vida. Nada de colocá-lo para dormir naquele escurinho gostoso durante o dia. Ele tem que aprender a dormir com luz, para que entenda a diferença entre dia e noite, claro e escuro. Durante a noite, a história é outra. Tudo tem que estar bem escuro, sem qualquer luz de apoio. Se for necessário, na hora de dar de mamar, acenda a luz do corredor, e apenas isso. É bom que o bebê aprenda logo a não ter qualquer receio do escuro.

UM OBJETO PARA CHAMAR DE SEU

Um dos grandes aliados para o bom sono do bebê é o chamado "objeto de transição", que nada mais é do que um objeto que o faça se lembrar de sua mãe, sem a necessidade de ela estar por perto o tempo todo. O objeto pode ser um paninho, um bichinho de pelúcia ou qualquer outra coisa que possa ficar próxima do bebê na hora que ele for dormir. A dica é impregnar o objeto com o cheiro da mãe e, para isso, basta que ela passe uma noite com ele por perto. No dia seguinte, ela deve colocá-lo próximo ao bebê na hora de pô-lo para dormir. No começo, ele vai ignorá-lo, porém, com o passar do tempo, o pano, o ursinho, o travesseiro ou o que for fará parte da vida dele, dando-lhe segurança. Provavelmente, o acompanhará durante muitos anos.

MAMADA E SONO

O ritual do sono está diretamente ligado à mamada. Depois de cada mamada diurna, é indicado fazer o que chamo de atividades com o bebê. São alguns poucos minutos de interação com a criança que vão deixá-la mais cansada e com muita vontade de dormir. É um momento importante de diálogo dos pais com o bebê, no qual ele será estimulado física e mentalmente até se cansar.

O momento de atividade acontece depois da mamada, da troca de fralda e da mamada extra, que chamo de sobremesa. O bebê deve ser colocado de frente para mãe, pai, babá ou avós, na posição vertical, apoiado numa almofada ou numa cadeirinha. Esse adulto deve encará-lo e repetir os sons, sobretudo os que a criança fizer. É hora de rir, conversar, mexer com o chocalho. Por volta de um mês e meio, o bebê começa a sorrir e também a emitir sons, que ele adora ver reproduzidos por outros. Rapidamente, a criança demonstrará que está cansada, bocejando e reclamando, dando a deixa para que seja levada para dormir.

Ao levá-la para o berço, carrinho ou cama, o adulto deve repetir uma frase que mostre que é hora de dormir. Algo como: “Meu amor, é hora de dormir.” Como já foi explicado, se o bebê ouvir a mesma frase todas as vezes que for dormir, aos poucos, ele se acostumará com os sons das palavras, relacionando-as ao ritual de ir para a cama.

Dar tapinhas muito leves no bumbum do bebê também ajuda a niná-lo.

NUNCA DE OLHOS FECHADOS

Dentro do ritual do sono, outro ponto importante é nunca colocar o bebê no berço já de olhos fechados. Ele precisa ter a segurança de saber onde está dormindo, para que, ao acordar, não se assuste ao perceber que dormiu num lugar e acordou em outro. Como têm várias ondas de sono por noite, cada vez que ele estiver na fase superficial, vai acabar acordando e chorando.

Fazer com que ele durma no colo ou na cama dos pais parece tentador, mas, ao longo do tempo, o que parece ser mais fácil vai impedi-lo de desejar sono sem interrupções. Deve-se evitar isso a partir do décimo dia de nascimento. Um bebê que dorme no colo e acorda no berço fica com medo de dormir e passa a brigar contra o sono. Já o bebê

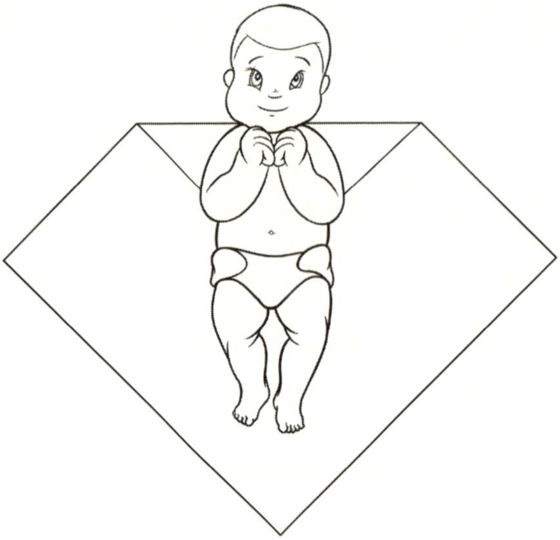

que dorme mamando vai querer voltar a mamar todas as vezes que seu sono for mais superficial.

ENROLADINHO NA MANTA

Na hora de colocar o bebê na cama, é importante enrolá-lo numa manta leve — mesmo que não faça frio. Há milênios, em diferentes culturas, os bebês são enrolados para dormirem bem e tranquilos. É ainda melhor ligar o ar-condicionado do que deixá-lo sem roupa, porque o bebê gosta e precisa de limites. Durante toda a gestação, ele ficou dentro do útero, num território totalmente limitado. Para reproduzir o útero materno, deve-se enrolá-lo na manta, com os braços dobrados e as mãos juntas, perto do queixo, de maneira que ele não se solte, mas possa mexer uma mão na outra e até mesmo colocá-las no rosto ou na boca, como fazia enquanto estava dentro da barriga da mãe.

REFLEXO DE MORO

Até os três meses, o bebê tem uma reação chamada reflexo de Moro. Trata-se de uma movimentação específica dos braços: de repente, sem nenhuma razão, os braços se mexem agitadamente, enquanto ele chora, o que muitas vezes o faz empurrar a mantinha para o lado e se descobrir. Muitos pais interpretam tal reflexo como a indicação de que o bebê não quer ser embrulhado. Mas é exatamente o contrário. O reflexo se dá justamente porque a criança está assustada com tanto espaço, procurando desesperadamente o mesmo limite que tinha na barriga da mãe.

MÚSICA AJUDA NO SONO

O ritual se completa com música. Há muitas músicas que acalmam bebês, como clássicas, estilo caixinha de música e até versões de canções normais feitas especialmente para crianças. O importante é escolher uma que também seja agradável para os pais, para que todos fiquem em harmonia ao escutá-la. Se os pais gostarem de dormir escutando música, uma dica é escolher gravações para serem repetidas na hora que forem se deitar durante toda a gestação. Como consegue escutar tudo de dentro do útero, o bebê vai se acostumar com esses sons e os reconhecerá quando já tiver nascido.

POSIÇÃO PARA DORMIR

Nos primeiros meses, é importante colocar o bebê para dormir, seja no berço, seja numa cama baixa tipo futon, numa posição que ele não corra o risco de se virar. Em hipótese alguma o deixe de bruços, por causa da morte súbita — um bebê saudável é colocado para dormir de bruços e, aparentemente sem nenhum motivo, é encontrado sem vida.

A explicação para essa síndrome ainda é um desafio para os médicos, que costumam dar esse diagnóstico por exclusão. Enquanto não se descobre sua causa, é importante seguir a regra número 1: o bebê não pode dormir de bruços. Na hora de colocá-lo para dormir, ele deve

ficar de barriga para cima, inclinado, ou até de lado — apenas se ele não conseguir se virar. Se estiver solto no berço ou na cama, sem nenhum tipo de proteção, pode acabar se mexendo e virando de barriga para baixo.

ALMOFADAS E TRAVESSEIROS ANTIRREFLUXO

As almofadas e travesseiros são aliados tanto da mãe quanto do bebê. O ideal é ter uma almofada em forma de U, bem grande e comprida, na qual seja possível apoiar tanto as costas da mãe quanto o braço do lado que ela vai amamentar. De preferência, a almofada deve ter recheio de microbolas de isopor, porque se ajusta melhor ao corpo.

A mesma almofada em formato de U pode ser usada para colocar o bebê para dormir ou descansar até os três meses. Para isso, é necessário fazer um ninho, que pode ser colocado no próprio berço ou na cama dos pais.

Outra dica são almofadas ou rolinhos que impeçam que o bebê mude de posição nos primeiros meses, garantindo que ele irá dormir de lado ou de barriga para cima (lembre-se: nunca de bruços).

A questão do uso de almofadas no berço é polêmica. Algumas instituições pediátricas recomendam não usar nada no berço além de um lençol simples — nem mesmo protetores. Minha sugestão é o uso de almofadas antissufocantes, por exemplo, com micropérolas de isopor, para evitar que o bebê

DICAS PARA RELAXAR NA HORA DO SONO

Não é fácil descobrir a temperatura ideal do quarto para que o bebê consiga adormecer mais facilmente. Como é importante embrulhá-lo numa manta, o ideal, para quem puder, é deixar o ar-condicionado numa temperatura por volta de 24ºC. Outra boa dica é usar uma bolsa térmica para ter uma fonte externa de calor próxima ao bebê, garantindo que ele não sentirá frio. Essa bolsa deverá ter uma capa de proteção, e o truque é justamente colocar o tecido da capa em contato com o corpo da mãe, antes de deixá-lo próximo ao bebê. Assim, a bolsa térmica estará impregnada com o cheiro dela, dando ainda mais tranquilidade à criança.

A bolsa pode ser posta próxima às costas do bebê, caso ele esteja dormindo de lado. Nunca a coloque diretamente em contato com ele, para não correr o risco de queimá-lo. O bebê adora dormir sentindo o calor e o cheiro da mãe — ambos proporcionados pela bolsa térmica.

vire de bruços. Mas você deve pesquisar as diferentes possibilidades e tomar sua decisão bem informada.

Desde o nascimento até os três meses, é fundamental que o bebê fique inclinado, com o tórax sempre mais alto do que abdômen, para evitar o refluxo. Ou seja, ele sempre deve estar inclinado no berço, no carrinho ou no trocador. Para isso, acostume-se a usar o travesseiro antirrefluxo de forma contínua. Este também serve para o trocador, mas o ideal ao trocar a fralda é que o bebê fique num ângulo de 30º, já que quem cuida dele precisará levantar suas pernas, para limpar o bumbum. O travesseiro antirrefluxo para berço é um modelo específico e mais largo do que os demais.

PROTETOR DE BERÇO

Se o berço do bebê tiver grade, é bom ter algum tipo de protetor fino, uma espuminha, apenas para evitar que o bebê passe as pernas por ela. Um protetor muito grande, rechonchudo, pode acabar deixando o bebê com pouco espaço dentro do próprio berço. Esse protetor deve ser de fácil lavagem.

FRIO E CALOR

Os bebês, assim como os adultos, têm sua própria relação com o calor e com o frio. Há bebês calorentos e friorentos. Caberá aos pais, com a convivência, descobrir em qual grupo o filho se enquadra.

É importante saber que um bebê engorda e cresce mais quando agasalhado num ambiente frio do que pelado num lugar quente. Lembre-se: criança precisa de limites, por isso é melhor ficar vestida.

A cadeia de sensações é assim: o bebê mais coberto se sente mais seguro e mais confortável, por isso tem mais apetite, mamando mais e dormindo melhor. É um ciclo poderoso. Porém, como saber se o bebê está com frio ou calor? Se a mão dele estiver fria, não adianta botar luvas, ele precisa ficar com o corpo todo mais aquecido. Já um bebê que está com calor dorme mais do que o normal e até pode ter febre.

DORMINDO À NOITE

Se tudo estiver indo bem, por volta dos quatro meses o bebê já conseguirá ter uma noite inteira de sono sem qualquer interrupção. Claro que esse é o sonho de todos os pais, mas não é nem um pouco impossível. Um bebê que mama bem durante o dia terá um armazenamento de leite suficiente para uma noite completa de sono, das 22h às 7h. Se desde o começo os pais aplicarem as orientações do capítulo sobre a amamentação, a criança vai dormir bem de noite. Lembre-se: a noite do bebê é o reflexo do dia.

NUNCA É TARDE PARA ENSINAR O BEBÊ A DORMIR

Pais que nunca se preocuparam em seguir as dicas para o bebê dormir podem ir levando a situação durante meses, mas chega uma hora que, inevitavelmente, não aguentam mais um bebê acordando uma, duas, três, cinco, dez vezes por noite. Falo de pais que deixaram o filho dormir no colo ou no peito, que o acostumaram mal. É importante saber que mesmo um bebê com mais de um ano pode entrar num ritmo de sono mais tranquilo. É necessário ter paciência e firmeza.

Na primeira vez, ele pode gritar e chorar por volta de uma hora. Na segunda, o tempo de desespero será quase a metade. Se os pais persistirem, na terceira noite ele já estará dormindo tranquilamente. Resista e não o tire do berço ou da cama por causa do choro. Mostre que é um momento de amor — o que é importante para um sono tranquilo. O bebê precisa dormir bem para crescer feliz. Ele não pode se sentir abandonado nem castigado. Por isso é preciso ficar ao lado dele, numa atitude firme, mas carinhosa, até ele dormir.

Se tudo estiver indo bem, por volta dos quatro meses o bebê já conseguirá ter uma noite inteira de sono sem qualquer interrupção.

COMO FAZÊ-LO DORMIR DEPOIS DE SEIS MESES

Coloque a criança no berço ou na cama, sente-se ao lado dela, sempre bem visível, e, num tom de voz monocórdio, repita: "Agora é hora do neném dormir." Provavelmente ela vai gritar, chorar, espernear. Não a tire da cama ou do berço e, sobretudo, não altere o tom de voz. Repita a frase como um mantra e faça carinho nela. Seja forte porque realmente se trata de um exercício de paciência. O bebê tem que sentir que o responsável por ele está tranquilo e sem irritação, que não se trata de um castigo. Dá pena, porém é necessário impor limites, para o bem de todos da casa, principalmente da mãe e do filho. Claro que, quanto mais tarde isso for feito, mais difícil será para todos os envolvidos.

Não saia do quarto e deixe o bebê chorando. Ele não pode se sentir abandonado. Ele não entende porque podia dormir no colo e não pode mais: é difícil, pois precisa de apoio nesta hora mas também de firmeza. Só comece quando tiver certeza de que vai aguentar e nunca desista no meio. A criança precisa ter confiança na sua força e na sua solidez para se sentir segura.

4

BANHO E HIGIENE EM GERAL

Assim que soubemos da chegada de um bebê em nossas vidas, uma amiga nos falou sobre o curso de uma mulher chamada Stéphanie, e, logo na primeira aula, nem nós sabíamos que existiam tantas dúvidas. Stéphanie é uma mulher doce, que nos fez sentir calma em momentos que esta palavra nem passa perto de existir. Além de termos acesso aos inúmeros benefícios de um nascimento humanizado, mais leve e natural (independentemente do tipo de parto), para a gente foi muito tranquilizador ter feito o curso para entender o que viria depois: entender o bebê (hoje uma menina saudável e feliz), suas necessidades e sua força. Em momentos de desespero, buscávamos lembranças, palavras que acalmavam. E, se por acaso essa lembrança não surgisse, a gente pegava o telefone e ligava mesmo.

Stéphanie quebrou mitos, preconceitos, e disse a coisa mais certa sobre criar os filhos: "Cada pessoa tem seu jeito, e não existe um jeito correto." Acima de tudo, há de se ter respeito e amor.

— PAULA BRAUN, ATRIZ, CASADA COM O ATOR MATEUS SOLANO

Ao nascer, todo bebê tem em sua pele uma substância esbranquiçada, uma gordura natural, chamada *vérnix caseoso*, cuja função é ajudar a pele a se adaptar à mudança do ambiente líquido para o seco. Ela será absorvida aos poucos durante as primeiras horas de vida. Por isso, o ideal é combinar antes com o pediatra e evitar o banho com sabão nas primeiras 24 horas depois do parto, deixando a natureza agir sozinha e a pele sensível do bebê não passar por um pequeno trauma logo no início. Somente a água morna não consegue retirar a *vérnix*, que para muita gente parece sujeira. Quando se usa sabão, em apenas três dias a pele do recém-nascido começa a descascar.

O ideal é que o primeiro banho, ainda na maternidade, seja dado pelo pai, sem sabão, proporcionando um momento de prazer e relaxamento para o bebê. Antigamente o recém-nascido não tomava banho até o umbigo cair e, depois, só ele com água filtrada e fervida — o que fazia do banho um momento tenso. Hoje, descobriu-se que o ele pode tomar banho em água da torneira desde o nascimento, sem nenhum risco.

O primeiro banho deve ser uma experiência prazerosa. O ideal é deixá-lo curtir a água numa banheira de bebê bem cheia, sem pressa, sem sabão, sem esfregá-lo, permitindo-lhe que flutue com o ouvido dentro d'água. Não é preciso ter medo, ela não entrará neles.

O ambiente pode ter uma música calma de fundo e deve estar na penumbra. Recomenda-se que a água esteja na temperatura de 37°C, que pode ser medida com termômetro apropriado.

BANHO DE CHUVEIRO

A experiência com bebês me mostrou que não há banho melhor do que o de chuveiro, mesmo para os recém-nascidos. Eles adoram sentir a água caindo pelo corpo. Se o pai for estimulado a dar o banho, um vínculo importante é criado entre os dois, que vai se refletir numa relação mais próxima e participativa. Minha sugestão é transformar essa tarefa num momento especial entre pai e filho, já que, por causa da amamentação, o bebê passará, naturalmente, muito mais tempo com a mãe.

Logo depois do nascimento, o pai volta ao trabalho e seu encontro com a criança costuma se restringir ao início da manhã e ao fim do dia, quando o bebê já está cansado e louco para dormir. Além, claro, dos fins de semana. Por isso, a hora do banho pode e deve se transformar num grande encontro de pai e filho, sempre com prazer, curtição e intimidade. O contato físico facilitará a integração entre eles, criando laços cada vez mais fortes para o futuro.

APENAS UM BANHO COM SABÃO POR DIA

Para não ressecar a pele do bebê, mesmo em dias de muito calor, é melhor dar apenas um banho com sabão. A pele do bebê é perfeita; então, vamos tentar não estragá-la. Se for muito lavada, perderá sua oleosidade natural e produzirá mais óleo para compensar, podendo se tornar oleosa para sempre. A mãe que quiser dar muitos banhos no bebê deverá usar apenas água.

O único banho diário com sabão deve ser dado no fim do dia, depois da última mamada, como parte do ritual para uma boa noite de sono.

Depois da mamada, a mãe tira a roupa do bebê e o leva ao chuveiro, onde o pai já estará esperando com a água caindo, numa temperatura de mais ou menos 37°C, a ser medida pelo bom senso dos pais. É muito mais importante colocar a mão na água e sentir se está gostosa do que se prender a números e medições. O importante aqui é ter certeza de que a temperatura está agradável, observando as reações da criança.

O pai deve colocar o bebê na vertical, com a barriga dele encostada em seu corpo e a cabeça em seu ombro. A água deve cair nas costas do bebê, que deve ser ensaboado e enxaguado por partes, pois, se o sabão for passado em todo o corpo do bebê, ele ficará escorregadio. Nunca passe sabão no rosto da criança.

Ao fim do banho, o pai deve entregá-lo à mãe, que irá enxugá-lo, vesti-lo e dar um pouquinho mais de peito para acabar de saciá-lo antes que ele durma. O efeito do banho relaxante será sentido imediatamente, porque logo ele estará com vontade de dormir a noite inteira.

BANHO DEPOIS DA AMAMENTAÇÃO

Há muitas dúvidas ainda sobre dar ou não banho no bebê logo após uma mamada. Os pais costumam temer alguma reação negativa, mas asseguro que nada acontecerá a seu filho se o banho for dado à noite, depois da última mamada do dia. O problema em comer e tomar banho é mais específico: quando se come demais e, em seguida, se mergulha em água muito fria, é possível haver uma congestão, pois haverá a diminuição da circulação periférica — o que pode provocar um desmaio. No caso do banho do bebê, não há perigo porque a água não está fria. Garanto que não haverá nenhum problema, só solução, porque assim o bebê vai ficar muito mais relaxado e terá um sono tranquilo.

SABÃO E XAMPU EXCLUSIVOS

O sabão e o xampu de bebê são do bebê. Deve-se evitar o uso de produtos de adulto na criança em seus primeiros anos de vida. Eventualmente, pode-se usar sabonete líquido, porém, o ideal é usar xampu de bebê sem corante como sabão para cabelo e corpo. O xampu é menos agressivo para a pele; se cair no olho do bebê, não arde. Além disso, é mais fácil de ser encontrado. É importante ler o rótulo para evitar produtos com corante, que são a maioria. Como o olfato do bebê é muito sensível, perfumes e cheiros muitos fortes podem causar dor de cabeça. Por isso, os pais não devem usar perfumes — nem neles nem no filho.

DICA

A mãe não deve dar banho de chuveiro, pois o bebê vai querer mamar, já que estará muito próximo ao seio dela, sentindo o cheiro de leite que ele tanto ama. Banho de chuveiro é do pai!

BANHO DE BALDE

Nos últimos tempos, virou moda dar banho de balde, o que também pode ser muito divertido para o bebê. Esse banho não é para lavá-lo, não é banho de banheira; é como um *ofurô*, para relaxar. Só não pode ser um balde comum, desses para lavar roupa ou limpar a casa, sem curva no fundo, porque o bumbum do bebê tem que encaixar perfeitamente nele. O balde comum, vendido em supermercados, tem fundo reto, o que dificulta o encaixe do bebê.

Para um bebê de até dois meses, o balde deve estar cheio, porque a criança não vai afundar, e sim flutuar. Porém, como ela ainda não consegue manter a cabeça firme, os pais devem dar um pequeno apoio no queixo, segurando-o delicadamente. Depois dos dois meses, coloca-se somente água suficiente para cobrir até o peito da criança, que estará sentada no fundo do balde. Assim, ninguém vai precisar segurá-la, mas é importante se sentar ao lado do balde e ficar conversando enquanto a criança relaxa. Repito: a temperatura ideal é a do corpo, ou seja, próxima a 37°C.

Recomendo o uso do balde para um banho não oficial. O bebê ficou suado, golfou na roupa, está irritado, ou seja, circunstâncias que indicam o banho de relaxamento ou até uma limpeza rápida, contanto que seja sem sabão.

PÔR OU NÃO O OUVIDO DO BEBÊ DENTRO D'ÁGUA

Um tema que às vezes pode ser polêmico é molhar ou não o ouvido do bebê na hora do banho. É preciso lembrar que o ouvido é uma espiral torta, naturalmente protegida contra a entrada de água. Portanto, não tenha medo de mergulhar o bebê na banheira, no balde ou até durante o banho de chuveiro.

TOALHAS

A toalha de banho mais indicada é uma de adulto que seja fofa e gostosa, que possa enrolá-lo bem. O bebê adora se sentir aconchegado depois do banho, e, para isso, nada melhor do que uma supertoalha, bem grande, sem nenhum enfeite ou bordado que possa incomodar sua pele sensível. Antigamente, elas pareciam uma lixa, o que fazia com que muitas mães optassem por colocar junto à toalha do bebê uma fralda de pano, para proteger sua pele. Hoje isso não é mais necessário, já que há uma variedade grande de toalhas bem macias.

Minha dica para toalhas é: quanto maior, melhor; quanto mais fofa e agradável, melhor ainda. As toalhas de bebê à venda no mercado são daquelas que nenhum adulto gostaria de usar: até são bonitas, mas não enxugam nada. Por isso, o bebê acaba sentindo frio ao sair do banho.

Menciono esse assunto no **Capítulo 8**.

A limpeza do bumbum da menina é diferente da limpeza do menino. Na hora de passar o algodão para limpá-la, faça sempre de frente para trás

DICA

ALGODÃO E ÁGUA MORNA

Para limpar cocô de bebê ainda não inventaram nada melhor e mais barato do que algodão e água morna. Ao lado do trocador deve haver uma garrafinha térmica com água morna e um pote para umedecer o algodão que será usado na limpeza. Os famosos lenços umedecidos podem servir apenas para ocasiões especiais, como um passeio na rua, porque praticamente todos possuem produtos químicos que podem causar alergia. Além disso, a criança odeia esses lenços por serem gelados. Durante o primeiro mês, ainda por causa das alergias, até mesmo para eventuais saídas na rua é melhor levar água morna e algodão na bolsa.

TOALHA-AVENTAL
Uma novidade relativamente recente no enxoval do bebê são as toalhas-avental, que a mãe ou o pai vestem para dar banho. Ao tirar o bebê da água, basta encostá-lo nesse avental customizado. É prático porque, ao tirar o avental do corpo, o bebê já estará enroladinho na toalha.

PENTE
Como já foi dito, o bebê nasce com uma proteção natural chamada *vérnix*, uma substância esbranquiçada, que é absorvida aos poucos pela pele. Esse hidratante natural não precisa e não deve ser retirado à força — por isso é importante evitar o uso de xampu e de sabão nas primeiras horas depois do parto. O indicado é passar levemente o pente no cabelo do bebê, jogando bastante água, para tirar o excesso de *vérnix* e o sangue da cabeça dele. Evite pentes com bolinhas na ponta, pois não penteiam nada.

TROCA DE FRALDA

Se a fralda estiver suja de cocô, o primeiro passo é limpar o bumbum do neném com a própria fralda, retirando o máximo possível da sujeira. Em seguida, feche a fralda suja, deixando-a embaixo do bumbum do bebê. Durante toda a limpeza, segure firmemente as pernas dele com a mão passiva, com o indicador entre os tornozelos dele, para não correr o risco de apertar demais. A outra mão limpa o bumbum com o algodão umedecido em água morna.

Esse algodão deve ser colocado dentro da fralda suja quando tudo estiver limpo.

Aí a fralda suja é retirada, dobrada mais uma vez e presa com o próprio adesivo. No lugar, é colocada uma limpa (dica para os iniciantes ou distraídos: toda fralda é branca atrás e estampada na frente). A próxima etapa é passar uma camada bem fina de creme protetor nas virilhas e no bumbum. Se for menina, só nos grandes lábios, nunca dentro da vagina. Se for menino, nunca nos testículos ou no pênis. Passe em volta do ânus e em toda a área que entra em contato com as fezes. No final, o babadinho de cada uma das pernas da fralda deve ser puxado para fora, para que o próximo xixi ou cocô não vaze pela passagem. Outra dica: após fechar a fralda, tenha certeza de que há apenas um dedo de folga entre ela e a barriga do bebê. Nunca vi ninguém apertar a fralda demais, contudo, vejo frequentemente os pais apertando a fralda de menos, o que facilita o vazamento.

LIMPANDO MENINOS E MENINAS
A limpeza do bumbum da menina é diferente da limpeza do menino. Na hora de passar o algodão para limpá-la, faça sempre de frente para trás, ou seja, da vagina em direção ao bumbum, evitando, assim, empurrar fezes para dentro da uretra da bebê.

Já na hora de limpar o menino, a dica especial é colocar um pedacinho de algodão em cima do pênis dele. Caso ele faça xixi — o que é muito comum durante a troca de fralda —, o líquido não irá espirrar no rosto de quem está limpando. Esse pedacinho de algodão não irá impedir o xixi, porém, ajudará a barrar um eventual jato.

LENÇO UMEDECIDO E ALERGIA

Para saber se o bebê tem alergia aos lenços umedecidos, faça um teste: passe o lenço apenas numa coxa e, na próxima troca de fraldas, compare as pernas. Se ele for alérgico, a pele ficará avermelhada.

PARA LIMPAR FORA DE CASA

Para sair de casa com o bebê sem ter que levar lenços umedecidos, é necessário preparar um kit-troca de fraldas. O primeiro item é uma garrafa térmica pequena, dessas de merendeira de criança, com água morna. Outro item que não pode faltar é o algodão pré-cortado em grande quantidade. Simples, barato e saudável. E, claro, o creme para o bumbum.

LIMPEZA DO UMBIGO

Depois do parto, o bebê chega em casa com o umbigo ainda em fase de cicatrização. Não há problema se ele for molhado na hora do banho. Depois de enxugar o bebê e a cada troca de fraldas, é recomendável encharcar o coto umbilical com álcool 70%. Para facilitar, é melhor usar uma garrafinha com bico, chamada almotolia, encontrada em lojas de produtos médicos, que permite jogar o álcool diretamente no umbigo.

UNHAS

Todo bebê nasce com unhas compridas, mas ninguém precisa cortá-las imediatamente. Nas mãos dos adultos, a pele desce para encontrar com a unha. Na mão do bebê, por sua vez, a pele sobe ao encontro da unha, portanto, ao apará-la, é muito fácil acabar cortando também um pouquinho da pele. Seja paciente. O ideal é esperar pelo menos um mês após o nascimento. Assim, a unha já estará mais forte e será mais fácil saber o que é unha e o que é pele, evitando o perigo de machucar a criança com a tesoura.

É importante não cair na falsa ideia de que o bebê vai acabar se arranhando se estiver com a unha grande. A unha de um recém-nascido é tão fina que não terá a capacidade de feri-lo. Não se deve colocar luvas ou meias nas mãos do bebê. Na hora de cortar a unha, deve ser usada uma tesoura especial para recém-nascidos e nunca um cortador de unha — com ele será mais difícil perceber exatamente o que está sendo cortado.

HASTES FLEXÍVEIS

Muito cuidado no uso de hastes flexíveis na tentativa de limpar seu bebê. É possível utilizá-las como auxílio, mas é bom ter parcimônia. Não enfie as hastes no nariz ou no ouvido para limpar. No caso do ouvido, elas podem servir para limpar em volta da abertura, nunca dentro. Por isso, aconselho usar hastes redondas e gordinhas, especiais para bebê.

É importante não cair na falsa ideia de que o bebê vai acabar se arranhando se estiver com a unha grande. A unha de um recém-nascido é tão fina que não terá a capacidade de feri-lo. Não se deve colocar luvas ou meias nas mãos do bebê.

RECEITA DE CREME PARA A TROCA DE FRALDA

O melhor creme para evitar assaduras no bebê pode ser feito em casa. Use um potinho esterilizado (pode ser de exames de fezes, por exemplo), coloque um tubo de 90ml de pomada contra assaduras e uma colher de chá de óleo vegetal (como calêndula, lavanda ou amêndoas). Misture e use nas trocas de fralda. Esse creme caseiro é muito mais eficaz do que os vendidos em farmácia, porque é mais fácil de ser espalhado na pele do bebê. A pomada contra assaduras é um creme fantástico para proteger a pele da criança, só que não é fácil de espalhar e de ser retirado, por ser bem consistente. Ao ser misturado com óleo vegetal, fica muito melhor de ser usado na pele da criança.

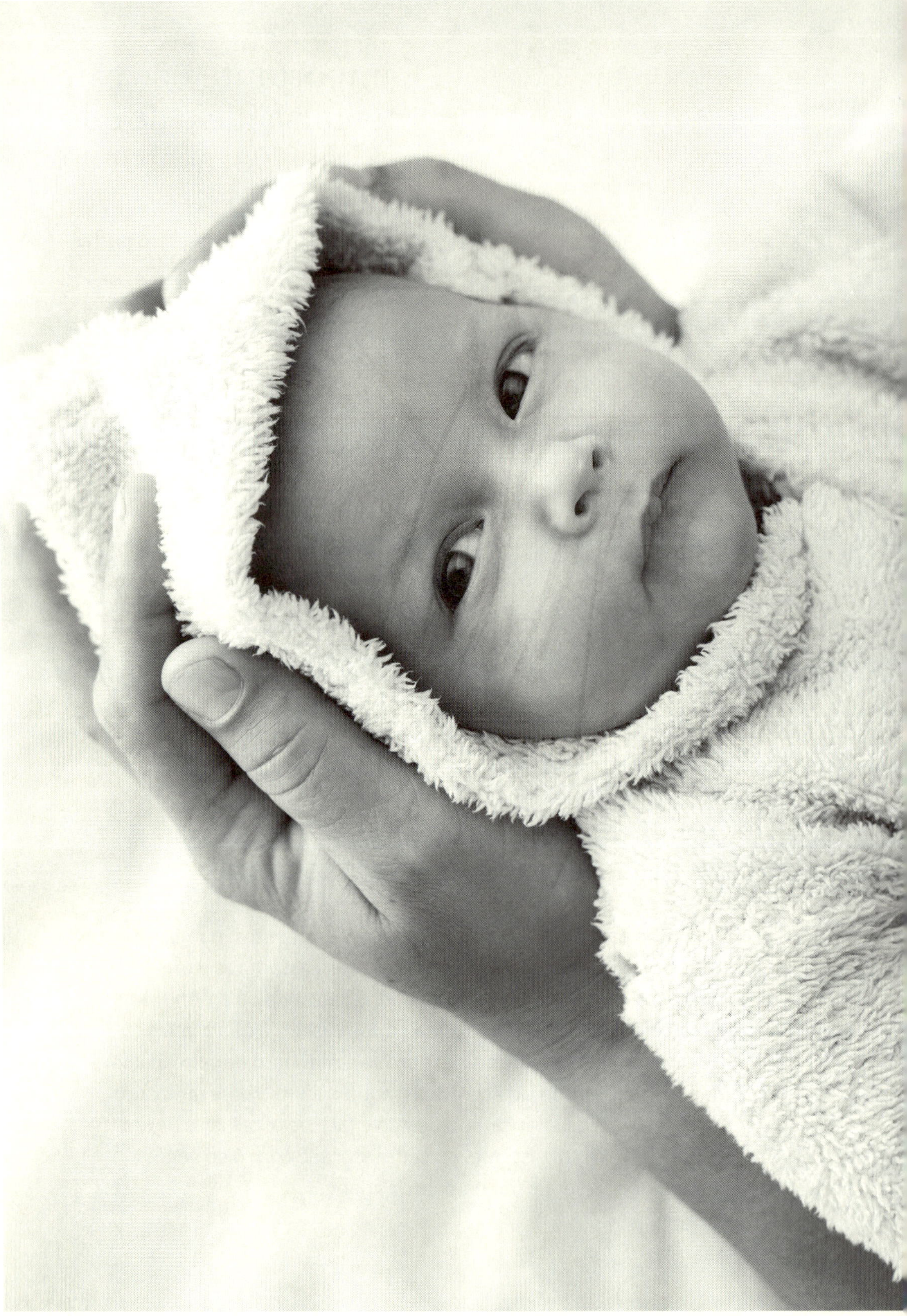

5

CUIDADOS COM O BEBÊ

Quando criança, eu acreditava em fadas. Na adolescência, fui levada a crer que elas não existiam. Ledo engano. Fadas existem, sim. Existem para trazer de volta a nossas vidas a alegria de viver.

Vou contar agora a história de uma fada que mudou minha vida. Quando a Lorena, minha filha, nasceu, tive muitos problemas para amamentar. Meu leite durou apenas dois meses, e fiquei muito triste por não poder alimentar minha filha naturalmente.

Sofríamos eu, como muitas mães com amamentação irregular, e minha filha, que chorava noites inteiras com fome sem que eu pudesse fazer algo para ajudar. Com o leite escasso, meu peito foi ficando ferido, e uma depressão violenta surgiu. Minha amiga Marisa soube de meu sofrimento e me ligou muitas vezes sugerindo que eu procurasse uma senhora francesa chamada Stéphanie. "Ela pode te ajudar, acredite", repetia Marisa a cada telefonema. Eu estava tão deprimida que não conseguia acreditar que alguém pudesse fazer isso. A cada telefonema, eu respondia que iria ligar para Stéphanie, mas não ligava. Um dia, durante mais uma conversa para me convencer, Marisa me disse que iria até a minha casa com a francesa. Foi o bastante para me fazer ligar para aquela mulher que não me conhecia e lhe contar o meu problema sem solução aparente. Qual foi minha surpresa ao conversar com alguém que sabia exatamente o que eu estava passando. Para o bico do seio rachado, ela tinha solução. Para o leite que eu não conseguia prover, ela também tinha a saída.

Desliguei o telefone com um leve sorriso no rosto. Fui até seu apartamento, em Copacabana. Ao chegar lá, minha filha, que chorava sem parar, recebeu a primeira mamadeira de leite em pó. Mamou tudo e dormiu no colo da minha redentora, Stéphanie. Ao ver minha filha dormindo tão tranquilamente no colo daquela senhora que acabara de conhecer, entendi que estava diante de uma fada, sim! Fada Stéphanie, que, além de curar as rachaduras de meus seios, me deu mil dicas de como colocar minha filha para dormir, qual a mamadeira indicada para prevenir o refluxo, como enrolar a manta para minha bebê dormir como um anjo. Não bastasse os conselhos para lidar com Lorena, ela me deu um vestido de malha confortável e colorido, que me fez sentir bonita como há muito não sentia. Se você estiver lendo este depoimento, passando por uma situação parecida, aqui vai um conselho divino: ligue para ela agora. Não deixe que a tristeza lhe invada num momento tão bonito — o primeiro contato com seu bebê. Ah, digo ainda que minha filha, hoje com cinco anos, goza de muita saúde, graças a Deus. E é a Ele que agradeço (e à Marisa também) por ter colocado em meu caminho essa fada que atende pelo nome de Stéphanie. Que Deus a abençoe sempre!

— TERESA CRISTINA, CANTORA

Aos pais de primeira viagem, meu conselho primordial é ter paciência. Os três meses iniciais são os mais difíceis, já que tudo é novidade e dá medo. Aos poucos, ganha-se confiança e, claro, tudo vai ficando mais tranquilo.

CHORO

Não existe bebê que não chora. Podem existir os que choram menos, mas choro é a forma de eles se comunicarem. O grande segredo é treinar o ouvido para descobrir os diferentes motivos que fazem a criança chorar.

No começo, os pais vão ficar preocupados, sem conseguir identificar o que está acontecendo com o filho. Com o tempo e a convivência intensa, descobrem-se as nuances, as diferenças entre os choros. Por isso, muito cuidado com as "traduções" dos palpiteiros para os choros do bebê. Ninguém melhor do que os pais para decifrar o que o filho está querendo dizer.

Os adultos entendem com mais facilidade a comunicação verbal. A primeira coisa que um filho ensina aos pais é entender sua expressão corporal. O bebê não fala com palavras, e sim com o corpo.

QUANDO O RECÉM-NASCIDO BERRA

Os primeiros dias do bebê em casa podem ser assustadores. Como o recém-nascido não faz nada pela metade, sempre que ele tiver algum incômodo, fome ou sono, vai começar a berrar. E os pais, que ainda estarão em fase de adaptação, administrando noites maldormidas e dias corridos, terão que respirar fundo, lembrando que o choro é absolutamente normal.

Um bebê possui sentimentos — aliás, os mesmos de um adulto. Na maioria das vezes, o choro mais forte significa ira. O adulto costuma esconder sua raiva, enquanto o bebê a extravasa num choro intenso. Por que um bebê tem raiva? Porque ele não tem noção de tempo e quer ser atendido assim que sente desejos ou tem demandas.

Bebê também sente mágoa, tristeza, alegria, medo, solidão, prazer, enfim, todas as emoções de um adulto.

TIPOS DE CHORO

O bebê pode chorar por diversos motivos: manha, fome, necessidade de colo, frio, calor, cocô, xixi, febre, roupa desconfortável, luzes diferentes do habitual, barulhos, refluxo, gases, espirro, soluço, engasgo, necessidade de atenção, de aconchego, de carinho, de proximidade... A lista é enorme. Com o tempo, os pais vão decifrar cada choro. É importante prestar atenção em vez de procurar soluções na internet ou nos livros.

Os pais são uma espécie de detetive, tentando decifrar nos mínimos detalhes o motivo do choro do filho. Imagine que para um recém-nascido uma coceirinha no pé pode ser um tremendo incômodo, que ele só poderá avisar chorando. Quando ele começar a chorar alto, a melhor solução é sempre pegá-lo no colo, tentando entender o que está acontecendo.

Lembro-me de uma mãe que me telefonou muito cedo numa manhã, apavorada porque sua neném de 12 dias só chorava. A criança passou a noite em claro, reclamando, sem querer mamar. Sugeri que a mãe lhe desse um banho, para tentar relaxá-la, frisando que prestasse muita atenção em tudo o que acontecesse, olhando cada milímetro do corpo da pequena. No meio do banho, a criança chorava com a boca aberta, e a mãe conseguiu avistar lá dentro um longo fio de cabelo. Ao tirar o fio, a choradeira cessou na mesma hora.

Repito: em vez de se desesperar com o choro, é melhor descobrir com calma o que está acontecendo.

COLO

DAR COLO NÃO ESTRAGA O BEBÊ

O ser humano é o único animal que nasce e não se locomove imediatamente. Ao nascer, o bebê ainda está em fase de amadurecimento e necessita, de forma vital, do carinho e da atenção dos pais. Até começar a engatinhar, precisa muito de colo para explorar o mundo e descobrir tudo o que está ao redor.

Ele deve receber muito carinho, sentir a presença de quem o ama, para ficar tranquilo. E o contato físico é fundamental nesse momento. Falta de colo pode deixá-lo carente e inseguro.

NÃO DEIXE O BEBÊ CHORANDO

Cuidado com os palpiteiros de plantão que costumam dizer que é bom deixar o bebê chorar antes de finalmente pegá-lo no colo. Os pais não devem fazer isso, porque só irão estressara a ele, e a si mesmos, por causa do choro. Bebê bem alimentado e com bastante colo será um bebê tranquilo. Já um bebê que ganha pouco colo estará sempre em busca de atenção, fazendo de tudo para ficar em contato com quem se dispuser a acariciá-lo.

COLO SIM, MAS SEM DEIXÁ-LO DORMIR

É bom relembrar que dar muito colo para o bebê nos primeiros meses não significa deixá-lo adormecer. Já foi dito que não há inimigo pior para o sono do bebê do que fazê-lo dormir num lugar — no colo, por exemplo —, e depois colocá-lo em outro, não importando se é no berço ou no carrinho. Ele deve permanecer no mesmo lugar onde adormeceu. Bebês precisam de ritual para entender que está na hora de dormir.

Menciono esse assunto no **Capítulo 3**.

CHORO NO BERÇO

Berço não é prisão, portanto, nunca deixe o bebê chorando dentro dele. Deixá-lo chorando não lhe ensina nada, ainda mais no lugar onde ele deveria se sentir bem e tranquilo. Deixá-lo chorando no berço fará com que tenha a sensação de abandono e de raiva do lugar onde dorme.

CHUPANDO O PÉ E A MÃO

O recém-nascido se encontra na fase oral — a boca é seu centro do prazer —, que se estenderá até mais ou menos os dois anos. Não estranhe se o bebê tiver a mania de colocar o dedo ou a mão na boca, porque durante a temporada no útero materno ele costumava se divertir chupando mão, pé e até cordão umbilical. É a época certa para isso e não quer dizer que ele se transformará num chupador de dedos inveterado. O recém-nascido gosta de explorar essas partes do corpo, de testá-las na boca. É um momento de puro prazer, sem nenhuma consequência. Chupar o pé ou a mão não significa fome; é só um momento de deleite para o bebê.

FEBRE

A primeira febre de um filho a gente nunca esquece. A maioria das febres de recém-nascidos é causada pelo superaquecimento. Se por acaso achar que o bebê está quente por causa do calor, a dica é deixá-lo só de fralda durante 15 minutos e, em seguida, medir a temperatura. Se ela não abaixar, é hora de ligar para o pediatra.

Não se apavore, porque febre não é necessariamente ruim, pois nos avisa que o corpo está se defendendo do ataque de um vírus ou uma bactérias, ou seja, um aviso de que tem algo acontecendo no corpo da criança. Porém, se a febre passar de 37,5°C, é importante falar com o pediatra.

NUNCA DÊ BANHO FRIO

Em caso de febre, evite dar banho frio no bebê, um procedimento muito comum no passado para tentar abaixar a temperatura do bebê. A prática não é recomendável, porque o banho gelado vai roubar energia da criança e diminuir sua capacidade de defesa. O que pode ajudar é colocar uma fralda de pano dobrada, molhada com água fria na cabeça, para tentar diminuir um pouco a temperatura da região e evitar uma possível convulsão.

O MITO DA CÓLICA E AS VERDADES SOBRE REFLUXO

Durante séculos, choro de bebê era sinônimo de cólicas causadas por gases intestinais. A verdade é que todo bebê engole muito ar quando mama e esse ar circula no sistema digestivo dele. Quando ele chora, faz força e acaba expelindo esse ar, o que resulta em gases. Por isso, durante muito tempo, por pura dedução, acreditava-se que o bebê chorava porque estava incomodado, era a famosa cólica infantil. No entanto, esse mito caiu por terra nas últimas décadas com o aparecimento do ultrassom, que permite ver o que realmente acontecia na barriga do bebê. É possível dizer que a grande maioria chora não pela cólica, e sim por causa de azia e queimação no esôfago, frutos do refluxo gastresofágico, também chamado de refluxo oculto. O bebê não chora por causa de gases, ele solta os gases porque chora.

ÁCIDO CAUSA A DOR

Tão falado nos últimos tempos, o refluxo é fisiológico e muito comum em bebês de até três meses. E por que ele acontece? Todo ser humano tem um anel muscular entre o esôfago e o estômago, um esfíncter, que abre para o alimento entrar no estômago e se fecha para impedir que saia. Através dos exames de ultrassom, descobriu-se que nos bebês recém-nascidos esse anel ainda é imaturo. Logo, não se fecha antes dos três meses de idade. Com isso, o ácido clorídrico, que faz parte do processo de digestão e é extremamente corrosivo, acaba transitando livremente do estômago para o esôfago, o que causa dor no bebê e perturbando muito. A maioria dos bebês sente dor — uns muito, outros pouco —, enquanto uma minoria não possui nenhum incômodo. Em resumo: é mais frequente o bebê chorar por azia.

A IMPORTÂNCIA DE DEIXAR O BEBÊ INCLINADO

Diante desse quadro, tentando prevenir a azia e a dor, pede-se aos pais que deixem sempre o bebê inclinado, para que o ácido não reflua. É muito importante estarem atentos a isso desde que ele nasceu, tentando incliná-lo nas diferentes situações do cotidiano, sobretudo quando estiver dormindo no berço ou no carrinho. Contudo, a recomendação é principalmente válida para a troca de fraldas, quando se levanta o bumbum para a limpeza.

REFLUXO E GOLFADA

Não se deve confundir refluxo com regurgitação — as famosas golfadas. Os bebês costumam pôr leite para fora, mas nem por isso estão sentindo dor. Bebê que mama regurgita; é o excesso de leite que ele está expelindo, o que não provoca dor. A dor do refluxo é quando o leite e o ácido do estômago, em vez de saírem pela boca, ficam agredindo o esôfago.

HIPOGLICEMIA

Recém-nascidos que ficam muitas horas seguidas sem mamar podem ter hipoglicemia, o que deixa a criança ainda com mais sono e sem vontade de se alimentar. Para evitar esse problema, que em geral acontece apenas nos dez primeiros dias depois do parto, o bebê deve mamar de três em três horas. Depois desses dez dias, se estiver tudo bem com ele, ou seja, se o pediatra constatar que está ganhando o peso esperado, não é preciso mais se preocupar com a hipoglicemia. A criança pode dormir tranquila o quanto quiser à noite.

Menciono esse assunto no **Capítulo 2**.

ENGASGOS

Existem bebês que engasgam muito durante a mamada. Isso ocorre porque o leite sai em jatos do seio materno. Caso o líquido venha com muita força, pode bater na garganta da criança, engasgando-a. Se isso acontecer, o próprio bebê vai largar o seio. Não é preciso fazer nada, além de deixá-lo mais inclinado. Ele mesmo irá resolver a situação e, em seguida, voltar a mamar.

Caso o bebê tenha repetidos engasgos, minha sugestão é a mãe tentar dar de mamar deitada, porque assim a força do jato deve diminuir, devido à gravidade.

Menciono esse assunto no **Capítulo 2**.

SEGURANDO A CABEÇA DO BEBÊ
Os pais ouvirão a todo o instante, dos palpiteiros de plantão, que é para sempre segurar a cabeça do bebê. Mas cabeça dele não cai! Ela pesa mais do que o corpo dele, que ainda não tem musculatura suficiente para sustentá-la, porém não é preciso segurá-la de modo ostensivo. Aqui, vale uma ajuda discreta, na nuca, para que ele se sinta mais seguro enquanto, aos poucos, a musculatura vai se firmando.

MORTE SÚBITA

A morte súbita é assim chamada justamente por se tratar de uma morte repentina, que os médicos diagnosticam por exclusão. Por isso, nos primeiros meses de vida, é importante colocar o bebê para dormir de barriga para cima ou de lado, verificando sempre para que ele não vire de bruços. Fiquem atentos para que ele esteja enrolado na manta e com algo (tipo rolinho ou almofada antissufocante) ao redor, para que não vire sozinho.

Menciono esse assunto no **Capítulo 3**.

PRONTO-SOCORRO

É importante ter em mãos o telefone e o endereço do pronto-socorro mais próximo de sua casa para eventuais emergências. Outra dica é ter bem à vista todos os contatos do pediatra, como endereço e telefone, além dos telefones de pais, avós, tios e até mesmo de um amigo próximo, que possa ser acionado em caso de necessidade. Ao escolher um pediatra, é fundamental combinar como serão os procedimentos em caso de urgência. É importante saber se o médico costuma atender ao telefone de madrugada ou nos fins de semana, se prefere comunicação via mensagem de celular e até se tem um pronto-socorro de preferência.

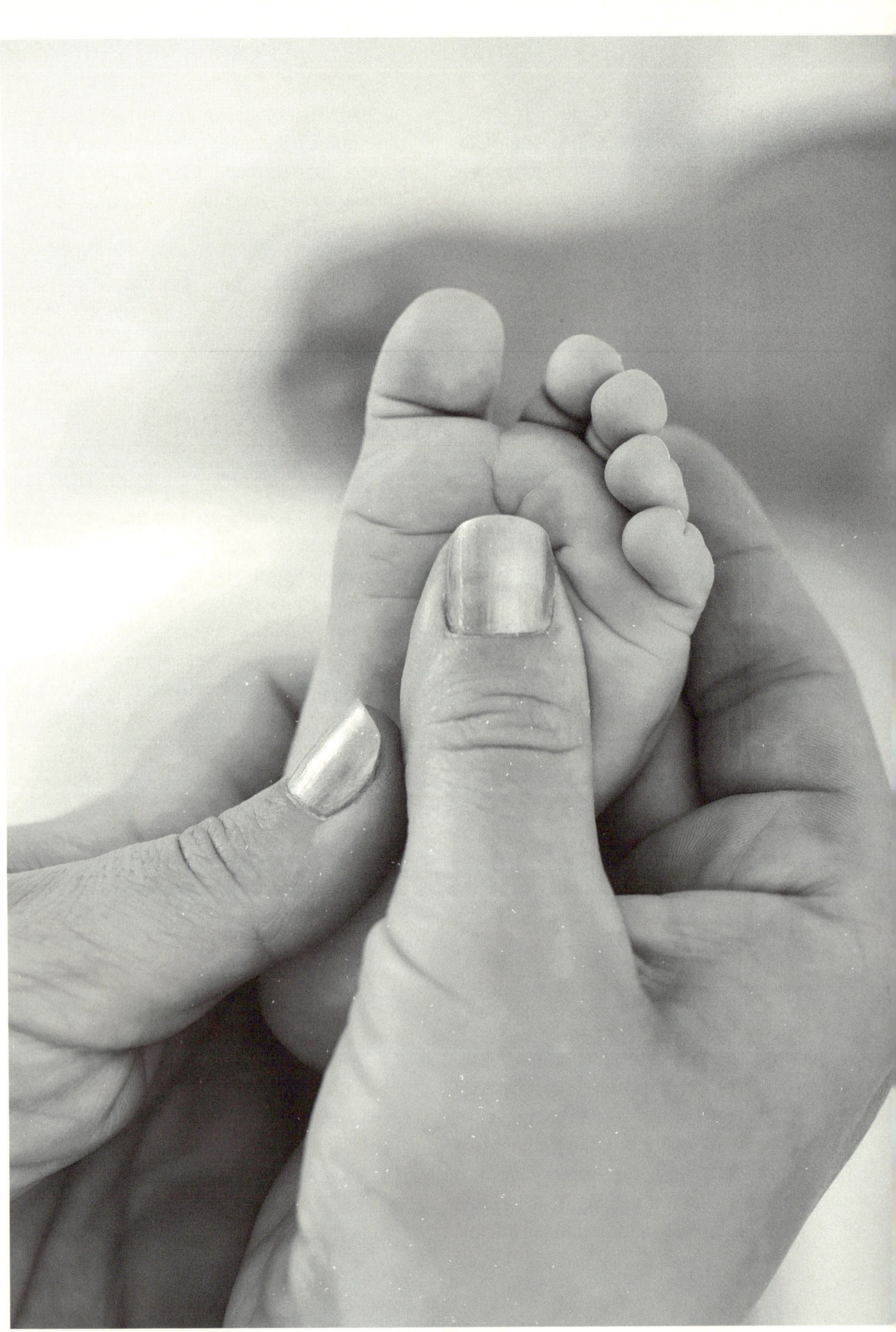

6

MASSAGEM SHANTALA

Shantala é a massagem secular indiana que se tornou conhecida no Ocidente a partir dos anos 1970, pelas mãos do obstetra francês Frédérick Leboyer. O médico espalhou para os quatro cantos do planeta suas ideias sobre partos mais naturais, beneficiando muitas gerações de pais e filhos. A Shantala é um daqueles grandes trunfos dos pais de um bebê: estreita a relação deles com o filho, permitindo momentos de pura cumplicidade entre os dois, acalma a criança, induzindo-a mais ainda ao sono, estimula o sistema nervoso central e fortalece a imunidade do bebê. São apenas alguns minutos diários de massagem e diversas benesses imediatas a longo prazo. Basta aprender o passo a passo da massagem, que não é nem um pouco complicada, e ter disciplina para aplicá-la diariamente, num lugar tranquilo. Assim seu bebê se tornará uma criança mais feliz e bem relaxada.

Reza a lenda que Leboyer descobriu a Shantala por acaso, durante uma viagem à Índia. Foi numa favela de Calcutá, onde ia com frequência, que o médico se deparou com uma cena tocante: uma mãe sentada no chão fazendo massagem no seu bebê, deitado sobre as pernas dela. A criança estava nua, o que permitia mais contato entre eles, enquanto ela, com todo o amor do mundo, fazia movimentos de puro carinho e envolvimento. Leboyer ficou ainda mais encantado ao conversar com a moça e descobrir que ela era paraplégica e que aquele era seu grande momento de interação com o bebê.

Muito impressionado com o prazer e o relaxamento demonstrados pela criança — que no final da massagem estava dormindo —, Leboyer decidiu pesquisar mais sobre a técnica, lançando em 1976 um livro dedicado à divulgação dessa massagem, cujo título do livro, *Shantala*, homenageia a indiana que o inspirou.

PREPARANDO-SE PARA MASSAGEAR

Escolha um horário tranquilo para massagear o bebê sem pressa. Aconselho que a Shantala seja feita no fim do dia, depois da última mamada e antes do banho, porque o relaxamento será um grande aliado para um sono contínuo, tranquilo e profundo. Nesse caso, a ordem fica assim: o bebê mama, é colocado para arrotar, é massageado, toma banho, volta para a mamada de sobremesa e, enfim, vai dormir.

Tire anéis, pulseiras e relógio, para que o toque na pele do bebê fique livre de qualquer risco.

Escolha um lugar calmo, onde se possa ficar imune aos problemas do dia a dia, onde não haja barulho nem confusão. É um momento de prazer e tranquilidade.

A roupa de quem faz a massagem deve ser muito confortável.

O bebê deve estar deitado e inclinado, da mesma forma com que fica apoiado no trocador, para evitar o refluxo.

Tire a roupa do bebê, porque a massagem deverá ser feita até mesmo sem fralda. A criança deve ser colocada no colchonete do trocador, posto no chão ou numa almofada, onde fique confortável. Outra possibilidade é colocá-la em cima de uma cama. Mas, prepare-se, como se trata de uma situação muito relaxante, é muito comum que o bebê faça xixi e cocô no meio da massagem. Quando isso acontecer, troque o forro onde ele estiver deitado e volte a massageá-lo.

O ambiente escolhido não pode ser frio.

Use óleo vegetal — nunca mineral, que é derivado de petróleo, não sendo bem-aceito pela pele — na massagem. O óleo fará suas mãos deslizarem e ainda ajudará a manter o corpo do bebê bem aquecido.

Fique atento a sua postura e à do bebê, tentando chegar o mais próximo possível de uma posição mais relaxante, para que o momento seja bem agradável.

Aproveite a massagem para conversar com o bebê, cantarolar, repetir os sons que ele fizer. É um momento único de cumplicidade, por isso, aproveite a chance de interagir. Se preferir, também fique em silêncio, exercitando a cumplicidade por meio do olhar, de sorrisos e até do tato. Encontre a melhor forma de se comunicar.

Se gostar de uma trilha sonora tranquila, ponha a música e se deixe embalar.

Inicialmente, o toque deve ser feito mais levemente, mas, aos poucos, depois dos primeiros dias, vá passando da carícia para a massagem propriamente dita, colocando certa pressão nos dedos.

Ainda nos primeiros dias, a sugestão é fazer uma massagem mais rápida, passando por todos os movimentos indicados sem ficar muito tempo em cada um. Assim é possível ganhar prática e o bebê vai se acostumando aos poucos. Com o tempo, você poderá fazer tudo com mais calma, porque ele já estará acostumado e aproveitará muito mais.

Todos os movimentos devem ser feitos do centro para as extremidades, sempre seguindo o sentido dos ponteiros de um relógio.

A massagem deve durar o tempo que você achar necessário.

Por último, dê um banho gostoso em seu bebê, porque a água vai completar o trabalho das mãos.

Atente para o choro do bebê.
Se ele chorar por algum motivo, pare, tente acalmá-lo, para só depois voltar à massagem.

Um animal, ao parir o filhote, costuma lambê-lo, o que, segundo especialistas, ajuda a estimular o sistema nervoso central dele. Guardando as devidas proporções, é importante que os pais mexam nos pés, nas mãos, no tronco e no rosto do filho, ajudando-o a descobrir o próprio corpo. E a Shantala é perfeita para isso.

Pai e mãe podem se revezar na tarefa de ministrar a massagem, para que os dois tenham a chance de aproveitar esse momento tão prazeroso para ambos.

QUANDO COMEÇAR

No primeiro mês, pai e mãe podem e devem brincar com o corpo do bebê. No entanto, a massagem propriamente dita é aconselhável somente a partir do segundo mês de vida, quando o bebê tiver quatro quilos e o coto umbilical já estiver cicatrizado. Nesse ponto, a criança já tem condições de passar um tempo maior sem roupa, o que é absolutamente necessário para a realização da Shantala.

O PASSO A PASSO DA SHANTALA

MASSAGEANDO O PEITO

Unte suas mãos com o óleo vegetal e esfregue-as para aquecê-las.

Como se estivesse abrindo um livro e tentasse deixá-lo bem aberto, coloque as mãos no peito do bebê e, em seguida, começando pelo centro, deslize-as para os lados do peito. Suas mãos trabalham paralela e simultaneamente, porém em direções opostas.

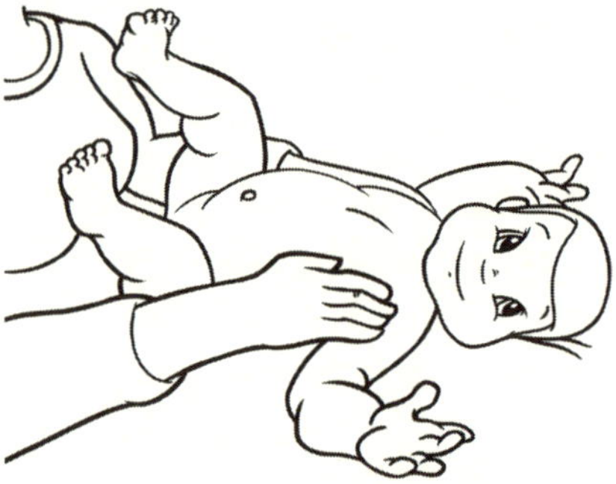

Coloque sua mão esquerda do lado direito do bebê e suba com ela, passando pelo peito até o ombro esquerdo dele, na diagonal. Repita o movimento no outro lado, com a mão direita.

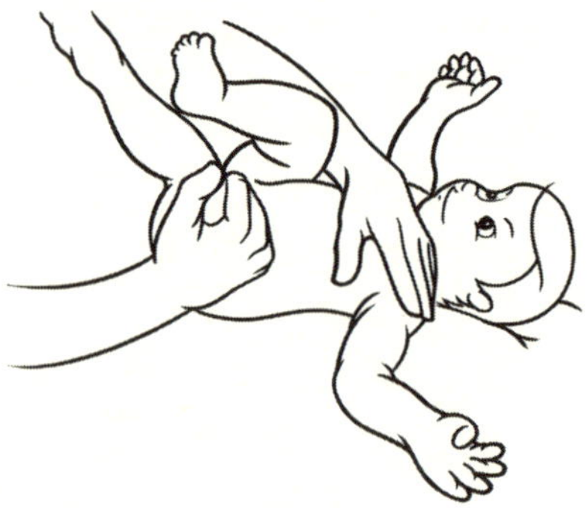

BRAÇOS

PRIMEIRA TÉCNICA: vire o bebê de lado. Comece pelo lado direito do corpo da criança: com a mão esquerda, segure delicadamente o punho do bebê, que deve ficar com o braço esticado. Com a direita, envolva o ombro dele, como se sua mão fosse uma pulseira, que, aos poucos, vai enlaçar todo o braço da criança. Ao chegar ao final do movimento, sua mão direita se encontra com a esquerda (que ainda está segurando o punho do bebê). Na sequência, a mão direita sustenta o punho do bebê e a esquerda fica livre, para repetir o movimento.

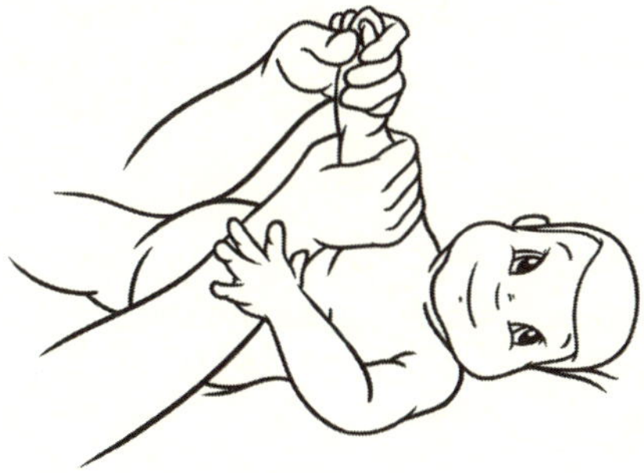

SEGUNDA TÉCNICA: coloque as mãos, em forma de pulseira, no ombro do bebê. Elas vão deslizar devagar, executando movimento de rosca ao redor do braço do bebê, ou seja, fazendo movimentos inversos. Ao chegarem ao punho do bebê, as mãos voltam ao ombro dele e recomeçam o movimento.

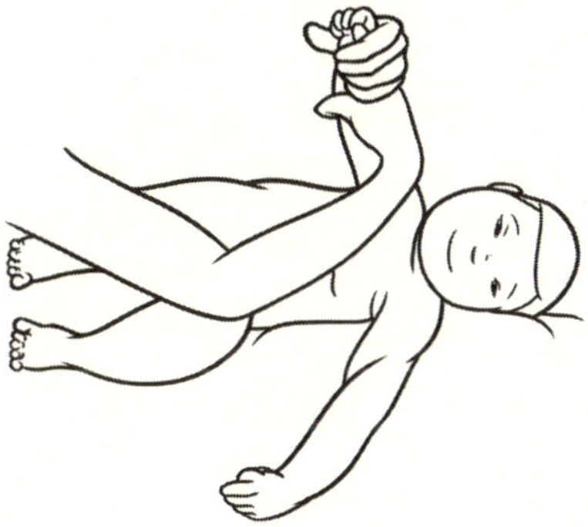

MÃOS

Deslize seus polegares alternadamente da palma da mão até a ponta dos dedos do bebê. Em seguida, deslize sua mão aberta pela mão do bebê, fazendo com que ela se abra completamente.

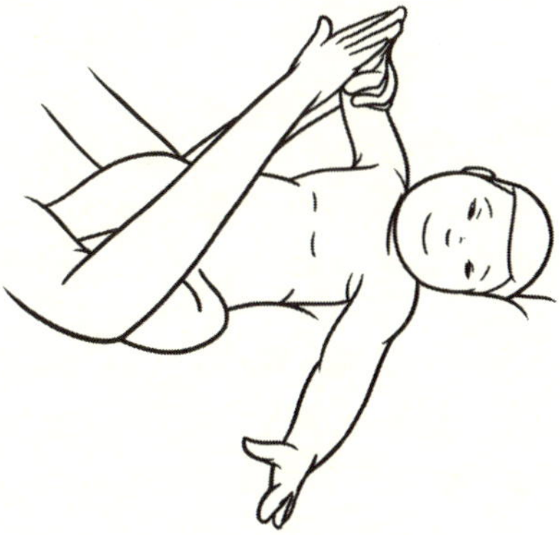

BARRIGA

Aqui as mãos trabalham uma depois da outra. O movimento começa logo abaixo do peito do bebê, com as mãos espalmadas descendo até a parte inferior da barriga dele.

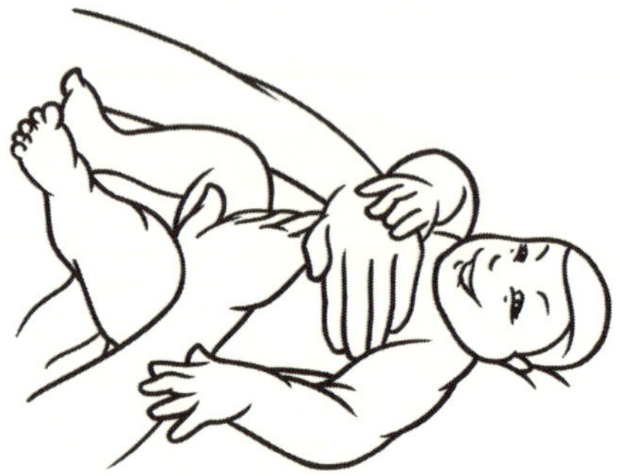

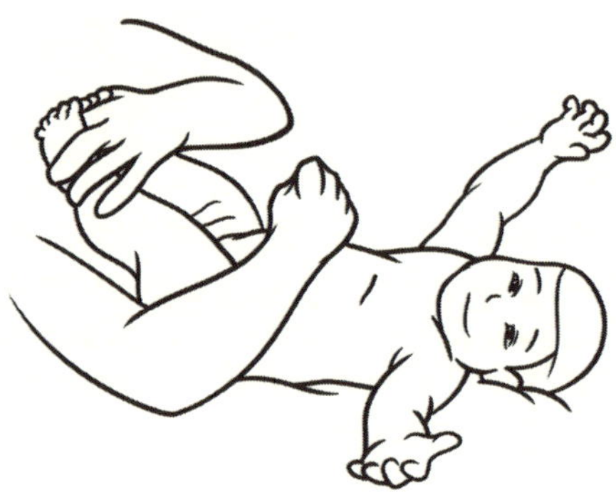

Perpendiculares ao corpo do bebê, as mãos trabalham em toda a largura, alternando-se em ondas, como fossem esvaziar a barriga do bebê.

A mão esquerda segura os pezinhos do bebê, mantendo as pernas na vertical esticadas, enquanto seu antebraço direito prosseguirá no mesmo vaivém, sempre debaixo das costelas até o púbis.

PERNAS

Suas mãos, ao formar pequenas pulseiras, circundam a coxa e, uma após a outra, se elevam pela perna até o pé do bebê.

Depois, trabalhando com as mãos em sentido inverso, sempre circundando a perna da criança, elas vão da virilha até o pé, fazendo o movimento de rosca, como foi feito nos braços.

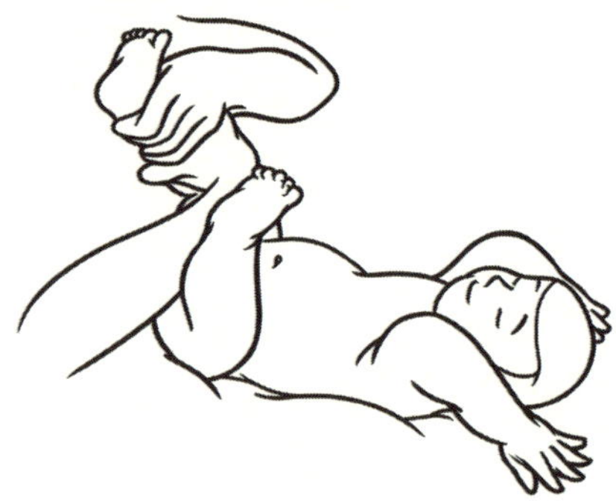

PLANTAS DOS PÉS

Massageie primeiramente com os polegares e depois com a palma da mão bem aberta.

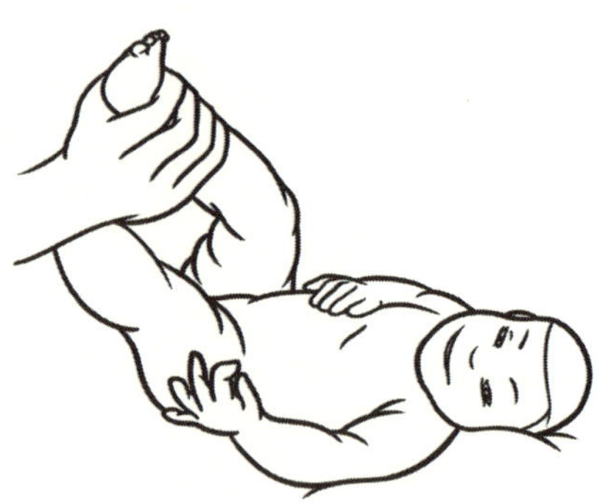

COSTAS

Pegue o bebê no colo e vire-o de bruços. Acomode-o em sua coxa e coloque suas mãos nas costas dele, na altura dos ombros. Com as palmas das mãos, massageie toda a largura das costas. É um movimento de vaivém, para frente e para trás, dos ombros até o bumbum.

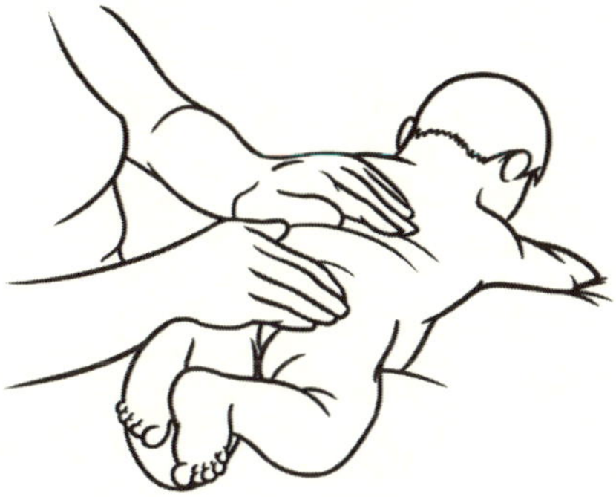

AO LONGO DAS COSTAS

Sua mão esquerda, bem espalmada, vai percorrer as costas do bebê, descendo da nuca até as nádegas. Em seguida, a mão volta até a nuca, para refazer o movimento.

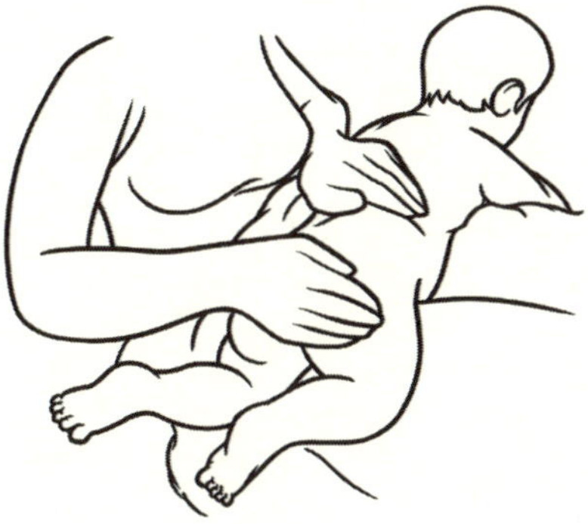

AO LONGO DAS COSTAS ATÉ OS PÉS

A mão direita segura os tornozelos, alongando o corpo do bebê, enquanto a esquerda percorre suas costas de alto a baixo. Porém, em vez de parar na altura das nádegas, ela continua o movimento percorrendo coxas e pernas, e descendo até os calcanhares. Chegando ao final, eleva-se, volta até a nuca e desce de novo.

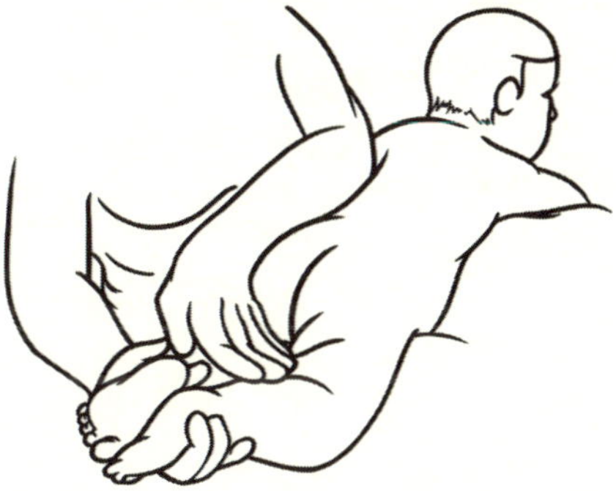

ROSTO

Comece a massagem pela testa, usando as pontas dos dedos. A partir do meio dela, desloque seus dedos para os lados, contornando as sobrancelhas, retornando para a posição inicial.

Inicie sempre pelo meio da testa e, a cada vez que recomeçar, prolongue um pouco mais o movimento até que seus dedos desçam contornando o olho ao longo das bochechas.

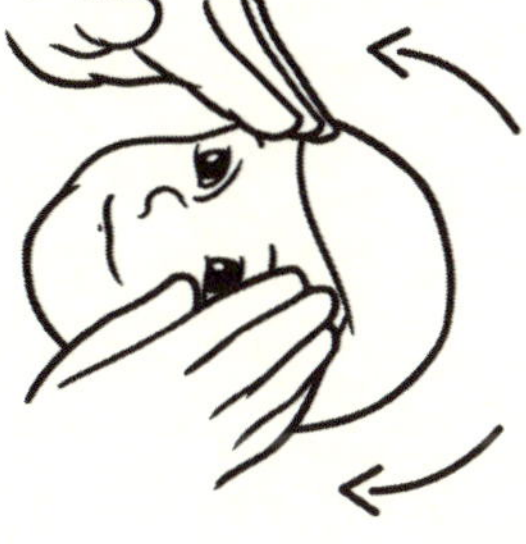

BASE DO NARIZ
Com os dedos, faça movimentos bem suaves de cima para baixo, iniciando na base do nariz e descendo em direção às maçãs do rosto. O movimento vai ajudar a desentupir o canal lacrimal.

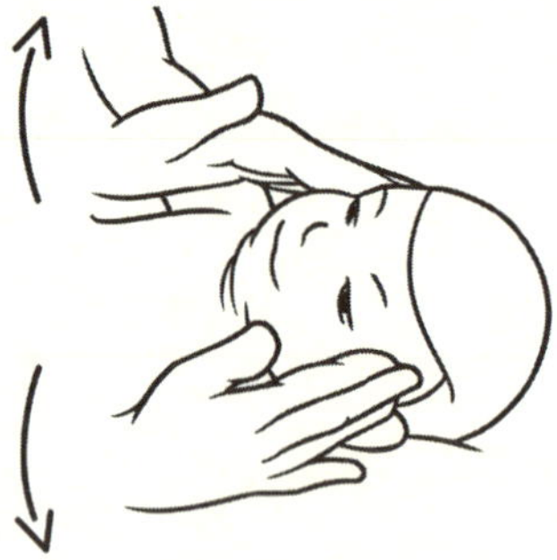

OS DOIS BRAÇOS
Segure as mãos da criança, sem forçar, e faça com que os braços dela fiquem cruzados sobre o peito. Depois torne a abri-los para devolvê-los à posição inicial. Repita o movimento.

UM BRAÇO E UMA PERNA
Segure um dos pés do bebê e a mão do lado oposto, de modo que o braço e a perna se cruzem. Assim, o pé do bebê deve tocar o ombro oposto, enquanto a mão dele vai tocar a nádega do outro lado. Em seguida, reconduza perna e braço à primeira posição (abrindo) e recomece (fechando).

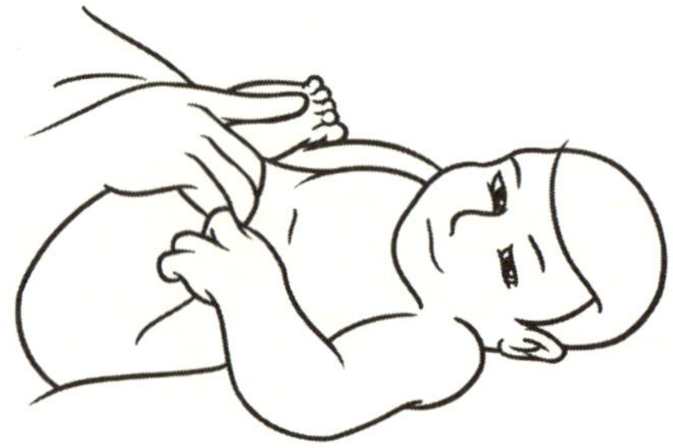

A POSIÇÃO DE LÓTUS

Segure os pés do bebê, cruzando as pernas dele, e leve-as para perto da barriga. Depois, faça o movimento contrário, estendendo e separando as pernas. Em seguida, volte à posição original, com as pernas cruzadas, próximas à barriga. Repita esse movimento.

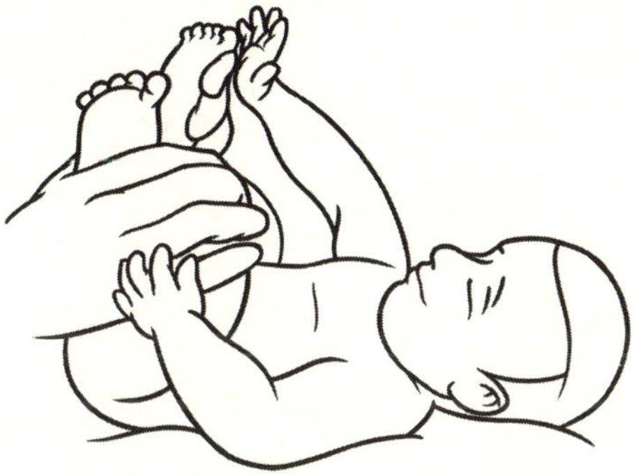

Ao cruzar os braços do bebê sobre o peito, você acaba com a tensão que ele pode ter nas costas, liberando a caixa torácica e a respiração pulmonar.

Ao cruzar o braço com a perna oposta, você faz com que a coluna vertebral se sujeite a uma inclinação e faça uma torção sobre seu eixo, liberando qualquer tensão. O movimento de cruzar as pernas sobre a barriga, na posição de lótus, provoca também a abertura e o relaxamento das articulações da bacia do bebê, de suas funções com o sacro e a base da coluna vertebral.

PARA TERMINAR

Aos poucos, a massagem faz com que toda a tensão muscular que poderia existir no corpo da criança desapareça. Depois de tudo, é só lhe dar um banho gostoso, dar de mamar mais um pouquinho e colocá-la para dormir um sono delicioso.

7

CACHORROS E OUTROS ANIMAIS

Quem tem cachorro ou gato em casa — ou outros animais de estimação — vai escutar que bebê não combina com bichos. Porém, em minha opinião, não há qualquer problema, desde que os pais tenham alguns cuidados. Tirar o animal de casa quando nasce um bebê seria o mesmo que expulsar o filho mais velho porque o caçula vai chegar. Ninguém precisa tomar uma atitude tão extrema. Além disso, muitos estudos já demonstraram que criança que convive desde pequena com animais dificilmente terá alergias a cães e a gatos.

VACINA E PROTEÇÃO CONTRA VERMES

Antes de tudo, verifique se o animal está com a vacinação e a vermifugação em dia. No caso de cachorros e gatos que moram em casas com jardim, o cuidado deve ser um pouco maior, porque eventualmente eles podem dar escapulidas e trazer algum problema de saúde para a criança. Nesse caso, recomendo um contato mais limitado da criança com o animal.

Se for cachorro de apartamento, minha dica é limpar as patas do animal depois do passeio na rua com um lenço umedecido.

SEM MUDAR A ROTINA DO BICHO

Tanto o cachorro quanto o gato percebem que há um bebê dentro do útero de sua dona, e, durante a gestação, se familiarizam com ele. Para a grávida, também não há qualquer tipo de problema, se os animais forem tratados.

Um dos segredos da boa relação entre animal e criança será não mudar a rotina do primeiro. Se for cachorro, é importante passear e dar comida nos horários de costume, sem suprimir atividade alguma por causa da mudança no cotidiano da casa. Não vai ser fácil, mas é importante que o animal não associe qualquer tipo de perda de atenção e espaço à presença do bebê.

Não vai ser fácil, mas é importante que o animal não associe qualquer tipo de perda de atenção e espaço à presença do bebê.

NA CHEGADA DO BEBÊ

Cachorro, em geral, é um animal que faz festa quando chega alguém em casa, pulando e se aproximando. Por isso, o ritual de preparação da maternidade tem que ser bem-feito. Minha dica é o pai ir na frente, acalmar o cachorro, enquanto a mãe chega em seguida, com o bebê nos braços. Tendo certeza de que o cão estará calmo, então será a hora de apresentar a criança ao animal, deixando que ele cheire o bebê e entenda que o novo morador da casa chegou. O mesmo deve ser feito com o gato.

Cachorros e gatos têm instinto de proteção. Logo o animal irá se afeiçoar à criança pequena, tentando protegê-la a sua maneira. Provavelmente, quando o bebê começar a chorar, o cão vai latir e o gato, miar, com o objetivo de avisar que a criança está precisando de ajuda ou pedindo atenção.

8

ENXOVAL

Amamos os ensinamentos da Stéphanie não só pelos novos conhecimentos e pela qualidade do que aprendemos, mas também por estarmos focados, interessados, apaixonados e juntos com o mesmo objetivo. No *fundo, no fundo, é uma grande declaração de amor para o neném que está chegando.*

— **FERNANDA TAVARES, MODELO, E MURILO ROSA, ATOR**

A empolgação com a chegada de um bebê costuma ser tão grande que muitas vezes pais, avós, avôs, tios e tias, parentes e amigos exageram no enxoval. O exagero é ainda maior se for o primeiro filho, o primeiro neto, o primeiro sobrinho... Pensar no enxoval com antecedência pode ser um ótimo antídoto contra compras desnecessárias, roupas que só vão encher o armário e não serão usadas. Um bom enxoval é aquele feito com racionalidade, resultado da melhor relação entre custo e benefício possível. Ninguém deve sair comprando na empolgação nem confiar cegamente em listas que não se sabe ao certo como foram feitas. É importante não deixar o trabalho para a última hora, pesquisar preços e conhecer materiais. O mercado para bebês é imenso e cheio de novidades. Uma lista de dois anos atrás será diferente de uma de hoje. Sempre aparecem artigos interessantes para facilitar a vida dos pais.

COMPRE ROUPA RN, MAS SEM EXAGEROS

Evite encher o armário de roupas tamanho RN (recém-nascido), mas não superestime o tamanho de um recém-nascido. Na maternidade é comum ver bebês que acabaram de nascer usando roupas enormes, porque os pais acreditavam que o filho já nasceria muito grande. Embora bebê cresça rápido, seu tamanho é RN ao nascer, e por isso ele tem que usar roupinha de recém-nascido. Caso contrário, vai ficar incomodado com uma roupa muito maior do que ele.

Pelo menos nos primeiros 15 dias, o bebê usará roupinhas RN. Depois, crescerá rápido, daí a dica de ter um guarda-roupa com roupas de tamanhos diferentes. Com três meses, por exemplo, o bebê já pode ter o dobro do tamanho com o qual nasceu.

FRALDA

A primeira grande recomendação em relação às fraldas é evitar estocá-las. Costuma ser muito prático ganhar embalagens e mais embalagens nos famosos chás de fraldas, mas, às vezes, o bebê pode ter alergia a uma ou outra marca, e as casas, em geral, não têm espaço para fazer estoque grande de fraldas. O ideal é ter alguns pacotes de fralda para o primeiro mês da jornada — que só terminará por volta dos dois anos —, sem estocá-las aos montes. Assim, os pais poderão descobrir na prática qual é a melhor marca para o bebê. Em vez de fazer um chá de fralda, é melhor fazer um chá de bebê, com uma lista ampla de tudo de que a criança vai precisar no primeiro ano. Essa lista pode ser colocada numa loja virtual, para facilitar a escolha dos presentes por amigos e familiares.

Caso os pais optem por um estoque de fraldas, é bom saber que, em média, um bebê nos primeiros meses de vida gasta de seis a oito fraldas por dia.

FRALDA DE PANO

É importante ter um estoque da clássica fralda de pano, que terá mil e uma utilidades ao longo dos dois primeiros anos do bebê. Elas servem para limpar golfadas, aparar um xixi repentino no meio da troca de fraldas, ser colocadas junto ao rosto do bebê para aconchegá-lo na hora do sono ou no ombro do adulto para proteger sua roupa quando a criança arrotar, entre muitos outros usos.

E, claro, se o bebê tiver alergia, assadura, fungo, qualquer problema de pele na área da fralda, a primeira recomendação do pediatra será suspender o uso da descartável durante 24 horas. E aí só a de pano poderá ser usada. Por isso, prepare-se para saber manuseá-la, dobrando-a de um jeito muito mais prático do que nossas mães faziam. Tenha pelo menos 12 delas para os primeiros meses.

COMO LAVAR FRALDAS DE PANO E DEMAIS ROUPAS

Coloque um balde na área de serviço de sua casa com água e sabão e jogue as fraldas depois de usadas. Deixe-as de molho durante algumas horas, porque assim o grosso da sujeira ficará na água. Depois é só colocar tudo na máquina de lavar.

Todas as roupas do bebê podem e devem ser lavadas na máquina. O melhor sabão é o de coco, e não se deve usar amaciante, que, em geral, tem cheiro muito forte, podendo causar alergia no recém-nascido. Esqueça os ensinamentos das avós, que dirão que é importante lavar tudo a mão. Isso não é preciso, pois o bebê precisa ter contato com os micróbios normais de uma casa e não deve ser criado numa bolha.

Todas, absolutamente todas as roupas do bebê devem ser lavadas antes de serem usadas pela primeira vez, sobretudo aquelas que irão para a maternidade. A recomendação é ir lavando tudo com calma, pelo menos dois meses antes do nascimento, para não ter correria desnecessária.

PANO DE BOCA E FRALDA

Presente clássico de gente que nunca teve filho, os panos de boca não servem para nada porque não dão conta das golfadas do bebê. Quando eventualmente a criança coloca leite para fora depois de uma supermamada, não vai ser um pano minúsculo que conseguirá limpá-lo. Dê preferência às fraldas de pano normais, sem enfeites — essas, sim, maiores e mais práticas.

CONFORTO ACIMA DE TUDO

Todo mundo gosta de ver um bebê arrumadinho e também é sempre legal escutar elogios dos outros sobre nossos filhos. Porém, roupas caras e cheias de enfeites podem gerar desconforto na criança. Antes de comprar qualquer peça, sempre dê uma olhada se é possível retirar as etiquetas ou se há costuras internas que poderão incomodar a pele sensível do recém-nascido. Nos armários dos bebês, há toda uma série de roupas inadequadas, que acabam fazendo com que a criança sofra à toa,

PASSO A PASSO PARA DOBRAR FRALDAS DE PANO

1) Coloque a fralda aberta numa superfície de apio.
Dobre-a em quatro.

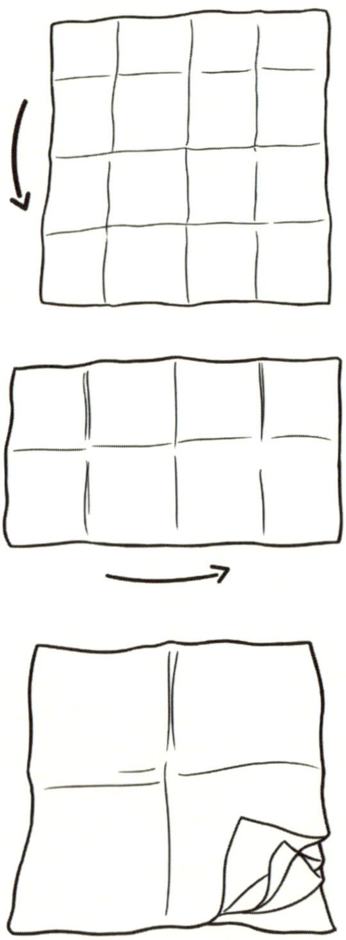

2) O lado todo fechado deve ficar à sua esquerda, e as quatro pontas soltas a sua direita, junto de seu tronco.

3) Segure a primeira ponta com a mão esquerda, segurando as demais com a direita. Puxe-a para o lado esquerdo, formando um triângulo.

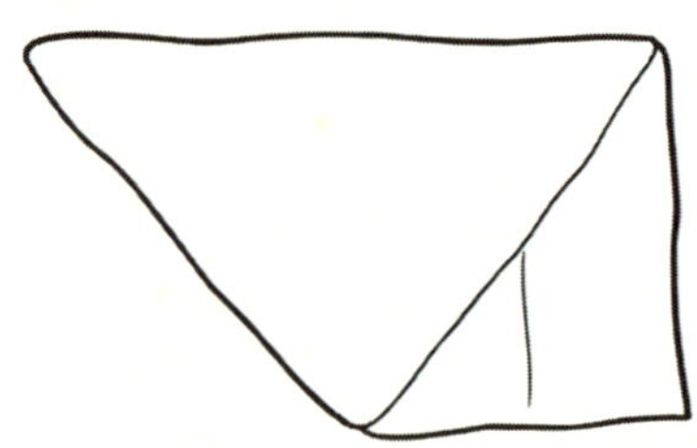

4) Coloque a face do origami com o triângulo virada para a superfície de apoio.

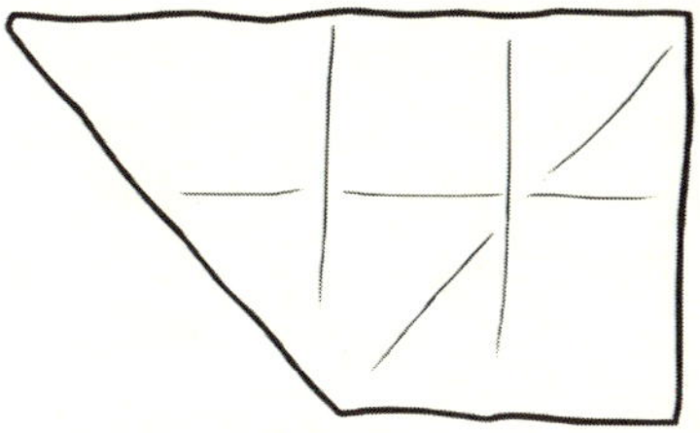

5) Segure a parte dupla, reta, à sua direita, dobrando-a duas vezes seguidas.

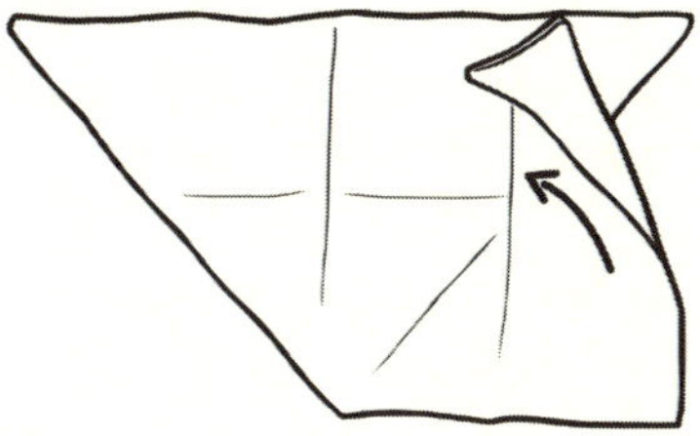

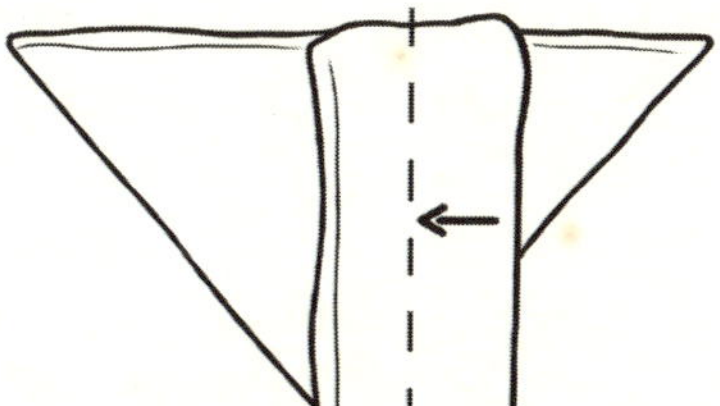

6) O resultado desse origami é um volume maior de tecido na parte central. Ao chegar neste passo, coloque o bebê em cima da fralda. A base do triângulo deve ficar na altura da cintura da criança.

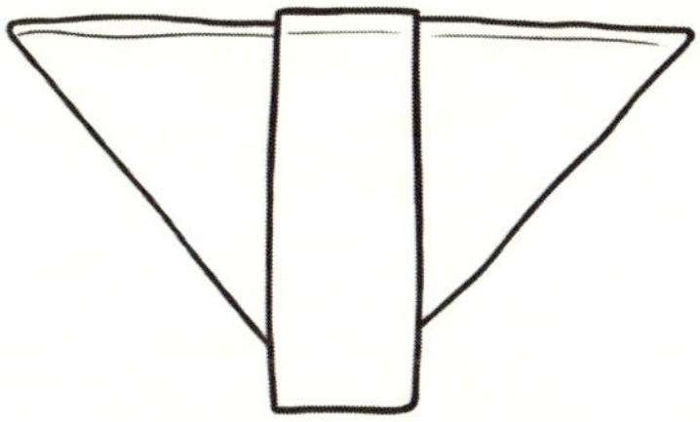

7) Dobre a ponta debaixo. Ela deve ficar entre as pernas do bebê.

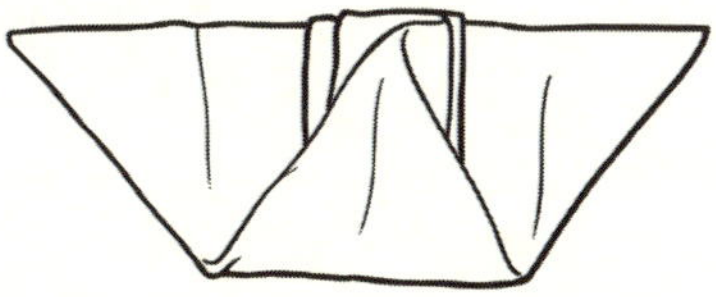

8) Dobre as pontas laterais da fralda. Prenda , com cuidado, usando um alfinete que segure as pontas laterais e o tecido dobrado entre as pernas do bebê.

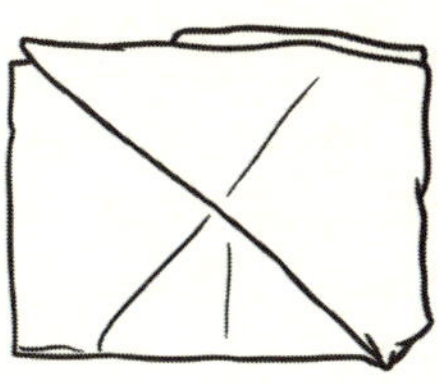

sem poder falar ou explicar o que está acontecendo. Evite modelos de roupas com cinto, golas altas ou apertadas, calça com elástico na cintura. Escolha materiais agradáveis, que não piniquem ou irritem a pele.

Antes de vestir uma roupa no bebê pela primeira vez, vire-a do avesso. Costuras e bordados podem irritar a pele e provocar choro. Saiba que o algodão é o material mais agradável. Se a roupa tiver um bordado cujo avesso seja uma espécie de lixa, coloque um pedaço de entretela termocolante de algodão, adesivada com a ajuda de ferro quente, para proteger a pele do bebê.

CORTE AS ETIQUETAS

Fundamental ainda é cortar e tirar todas as etiquetas que podem irritar o bebê. Isso deve ser feito antes de ele nascer e em tudo que for ganhando ao longo dos primeiros meses. Às vezes, uma simples etiqueta pode tirar a paz da criança e, consequentemente, a sua!

NUNCA APERTE A CINTURA

Todo bebê engole ar ao mamar, por isso, na hora de vesti-lo, a principal opção deve ser pelar roupas que não apertem a barriga dele. A grande maioria das calças vêm com elástico na cintura, o que é desconfortável nos primeiros meses do bebê por causa dos muitos gases. A preferência deve ser por modelos com sanfona, que não apertam a barriga.

MACACÃO: ROUPA IDEAL

O macacão é uma peça fundamental no armário de qualquer bebê. Se a criança morar num lugar mais quente, o modelo pode ser de algodão, mais leve. Em lugares frios, há materiais que esquentam mais, como *plush* ou acrílico. O macacão é um aliado de todas as horas, sobretudo para o bebê dormir confortavelmente. É bom evitar a lã pura, porque pode dar alergia.

Se estiver frio, uma camisa ou um *body* pode ser colocado por baixo do macacão. Essa peça a mais terá como função proteger a pele sensível dele da roupa mais pesada. Se a opção for uma camisa do tipo pagão, a dica para que ela não suba quando ele se mexer é prendê-la à fralda com um pedaço de fita-crepe.

COMO COLOCAR O MACACÃO NO RECÉM-NASCIDO

O mais difícil quando se veste o bebê é enfiar a manga, porque ele costuma encolher os braços. O melhor jeito, na hora de vesti-lo, é arregaçar a manga completamente e colocar três dedos, incluindo o polegar, de fora para dentro da manga, e aí segurar a mão do bebê, enquanto puxa a manga.

BEBÊS ODEIAM VESTIR ROUPA PELA CABEÇA

Eles simplesmente odeiam tudo o que passa pela cabeça deles, portanto, na hora de fazer o enxoval, deve-se optar por roupas que possam ser colocadas de baixo para cima. O *body*, por exemplo, deve ser colocado por baixo, pelas pernas. Para vesti-lo de baixo para cima, e não pela cabeça, coloque sua mão na abertura da perna da roupa, segure os pés do bebê e puxe. Em seguida, faça o mesmo com os braços.

LUVAS

Luvas são um item absolutamente desnecessário. Se a ideia é comprar luvas para evitar que a criança se arranhe, não perca tempo nem dinheiro. O bebê não vai se machucar por vontade própria, e, além do mais, sua unha é fina como um papel de seda e não tem força para cortar a pele. Ele pode ficar avermelhado ao passar a unha no rosto, mas nunca machucado. É importante que ele tenha contato sem barreiras com a própria pele e também com a pele dos pais, por isso a mão deve estar livre, sem qualquer tipo de proteção.

Se estiver frio, não é protegendo a mão do bebê que ele ficará aquecido. O importante é aquecer o corpo dele — consequentemente, as mãos ficarão quentinhas. Em caso de frio extremo, como nos países do norte, o bebê vai precisar apenas de luvas para passeios externos, mas nunca dentro de casa, onde há aquecimento.

SAPATOS

Tem muita peça bonita que nem sempre é prática para o bebê. É o caso dos sapatinhos de crochê ou de lã com fitas de cetim. Dar um laço nesse tipo de sapato em plena correria da arrumação de uma criança pequena e que não anda, convenhamos, não é nada prático. Os pais precisam que tudo lhes facilite a vida, portanto, não usem essa roupa bonita, porém pouco prática. Os sapatinhos com elástico são muito mais bem-vindos. Devem ser evitadas também as miniaturas de tênis de adulto, que são pesadas e incomodam muito o pé rechonchudo do bebê. E é óbvio que solado antiderrapante não é útil para ele.

Outro ponto importante é que todo recém-nascido tem tendência a se encolher, principalmente quando está deitado, porque era assim que costumava ficar no útero da mãe. Mesmo que já esteja usando um macacão com pezinhos, é melhor colocar um sapato nele, para manter a calça no lugar.

TOCAS E GORROS

A perda de calor mais significativa do ser humano se dá pela cabeça. Por isso, não é exagero usar uma toca quando a temperatura estiver baixa. Uma dica é virar a toca ou o gorro do lado avesso, deixando as costuras para o lado de fora — o que evita incômodos. Os mais confortáveis são os de malha ou algodão. Lã é um material que esquenta, mas pode dar alergia e pinicar, assim como as tocas feitas de crochê, por causa da variedade de pontos e costuras.

EMBRULHADO SEMPRE, MUMIFICADO NUNCA

Como já foi dito, o bebê gosta de limites porque se acostumou com a barriga da mãe, onde havia cada vez menos espaço até o nascimento. Por isso, mesmo nos dias mais quentes, é importante embrulhá-lo numa manta na hora de colocá-lo para dormir. Mas isso não quer dizer que ele tenha que ficar mumificado, apertado, enrolado de um jeito que nem consiga se mexer. A sugestão é embrulhá-lo numa manta fina e com elasticidade, de malha, com os braços dobrados, as mãos juntas e próximas ao rosto. É uma forma de reproduzir o útero materno, o que já é meio caminho andado para o bebê se sentir mais seguro e ter um sono tranquilo. Até pelo menos o terceiro mês, ele precisa e quer ficar bem embrulhado.

Menciono esse assunto no **Capítulo 3**.

MANTAS E COBERTORES

Quando estiver muito frio, o bebê pode ser embrulhado primeiro na manta e, por cima, num cobertor. A manta serve muito mais para dar um limite físico do que propriamente para aquecer.

É bom lembrar que em outras partes do mundo os bebês são embrulhados das mais diferentes maneiras. Porém, estão sempre envoltos em algo, faça frio ou calor. Cada cultura tem o jeito próprio de embrulhar o recém-nascido, e não há uma forma melhor do que a outra. O importante é deixá-lo aconchegado.

As melhores mantas são as que têm certa elasticidade, e não as de fustão nem as de lã (quentes demais!), repletas de enfeites. A mesma flanela que no passado foi tão usada para fazer os famosos cueiros — cuja função era envolver o bumbum do bebê — agora está em baixa. Flanela esquenta e não tem nenhuma de elasticidade.

Outra boa dica é o *swaddle*, fabricado nos Estados Unidos e já encontrado no mercado brasileiro. Trata-se de uma manta com um formato pronto para o bebê, como se ele estivesse num envelope, fechado com velcro, que facilita a vida de quem irá embrulhá-lo.

TOALHAS

Não é preciso gastar dinheiro com toalhas cheias de enfeites que mal enxugam a criança. Aqui a praticidade falará mais alto: o melhor é optar por uma toalha macia de adulto que envolva bem e enxugue melhor ainda. As fraldas usadas como toalhas são finas e ficam geladas quando molhadas. As de bebê em geral são bonitas, mas pequenas demais e pouco eficazes. Quanto ao capuz, não serve para nada, pois nunca está no lugar certo quando se tira o bebê do banho e acaba atrapalhando.

Menciono esse assunto no **Capítulo 4**.

KIT TROCA-FRALDA

Ao lado do trocador, bem à mão, deve haver um kit para a troca de fraldas. Não é preciso nada caro. A praticidade, de novo, falará mais alto. Como minha recomendação é o uso de algodão para a limpeza do bumbum, o kit deve ter uma garrafa térmica média com água morna liberada com a pressão de um dedo só, uma caixa com algodão pré-cortado e um potinho para molhá-lo.

hão ao
da e os

adra-
mato
para
rias,
abar
ando

oas
der
ário
ıma
ique
a), é
para

bebês, comprada em farmácia, e não a de escritório). Até para quem optar pela fralda de pano, não há melhor maneira de prendê-la.

MAMADEIRA E ESTERILIZADOR

Duas mamadeiras são suficientes para dar conta das necessidades de um bebê amamentado pela mãe, uma vez que ele só usará a mamadeira três vezes por semana.

Se a criança não for amamentada por leite materno, será preciso comprar oito delas, para não ter de correr para esterilizá-las logo depois de cada mamada. Nos dois casos, as mamadeiras já vêm com bico de zero a três meses. Depois, conforme o bebê for crescendo, basta ir comprando bicos de três a seis meses e de seis meses em diante.

Outro utensílio prático é o esterilizador de mamadeiras, que pode ser elétrico ou próprio para micro-ondas. Ele vai servir tanto para mamadeiras como para qualquer outro item que precise ser esterilizado, como potinhos de armazenar leite ou conchas.

CADEIRA PARA COMER

O bebê nunca deve comer no colo de alguém. Ele deve ter um lugar específico para fazer suas refeições, a própria cadeirinha, para ganhar autonomia desde pequeno. Dê preferência a uma cadeira que possa ser limpa com facilidade a cada refeição, já que é importante deixar o bebê, desde a introdução à papinha, mexer à vontade no que está comendo, para descobrir sabores e texturas.

BEBÊ-CONFORTO

Se vai andar de carro, tem que ter um bebê-conforto. É lei e, na prática, a protege de lesões mais graves, em caso de acidente. O bebê-conforto fica no banco traseiro do carro, preso pelo cinto de segurança — e, até os seis meses de idade, de costas para o motorista. É importante ler bem as instruções para prendê-lo da melhor forma, evitando que se solte num choque.

O modelo do bebê-conforto costuma ser acoplável ao carrinho, servindo para passeios fora ou mesmo para ficar em casa nos primeiros meses. No entanto, deve-se evitar o uso dele para passeios na rua, porque o bebê necessariamente ficará de frente para quem estiver empurrando o carrinho. Ou seja, em vez de olhar para o mundo, algo essencial para receber diferentes estímulos, a criança vê apenas o condutor do carrinho e fica de costas para o movimento, o que é muito desagradável.

Porém, há momentos em que acoplá-lo ao carrinho pode ajudar bastante. Se a criança dorme no trajeto do carro, basta tirá-lo do automóvel, acoplando-o ao carrinho e evitando qualquer perturbação do sono do pequeno.

CARRINHO

Qual é o melhor carrinho para o bebê? O que há de novo no mercado? É necessário um carrinho muito caro ou importado? Um mesmo modelo de carrinho consegue ser bom para os dois primeiros anos de vida de uma criança? Não faltam perguntas quando o assunto é carrinho de bebês. São tantos modelos e variedades que a cabeça dos marinheiros de primeira viagem sempre dá um nó.

Antes de mais nada, se deve refletir sobre onde exatamente o carrinho vai trafegar. Se a família vive numa casa relativamente pequena, com corredores estreitos, não se deve escolher carrinhos muito largos. A dica é verificar a largura entre as duas rodas traseiras, que é a parte maior dele, para ver se ele passa no corredor de casa com facilidade.

Carrinhos de três rodas possuem prós e contras. São chiques, imponentes, estão na moda, mas na verdade só servem mesmo para quem pretende correr com o filho. As rodas larguíssimas são perfeitas para um *jogging*, mas, no dia a dia, o carrinho se revela um grande trambolho, porque, além das rodas grandes, a parte usada para empurrá-lo é inteiriça, o que faz com que, mesmo fechado, nunca fique compacto.

Antes de escolher o carrinho é melhor testar se o modelo cabe no porta-malas do carro da família. Já vi gente comprar carrinho e só depois descobrir que não conseguiria transportá-lo.

Cuidado ainda com os de design muito moderno, como os modulares, que não são muito práticos. Há módulo para o bebê ficar sentado, outro para ficar deitado, sendo necessário trocar dependendo da situação em que a criança se encontra. Mãe precisa de praticidade.

O meu modelo preferido continua sendo o famoso guarda-chuva, porque é menor, mais leve e mais prático. Contudo, é importante escolher um no qual o bebê consiga esticar bem o corpo e que possa ser usado desde o nascimento.

SLING E CANGURU

Há no mercado diferentes marcas e tipos de carregadores de bebês. Para os primeiros meses, minha recomendação é o sling, que é um tipo de carregador que mais parece uma rede colada ao corpo da mãe (ou do pai, claro). Trata-se de uma faixa larga de pano na qual a criança poderá ser carregada desde nascimento, já que ficará acomodada. O sling é, na verdade, a adaptação ocidental de um jeito de carregar crianças usada há séculos em diferentes partes do mundo, principalmente na África e na Ásia, e que tem a vantagem de deixar as mãos de quem as carrega livres.

Outro carregador muito conhecido é o canguru, que está em baixa no mercado porque o sling é mais prático e mais confortável tanto para os pais, quanto para o bebê. No canguru, o peso fica todo na frente do corpo de quem o carrega. Já no sling o peso é dividido entre frente e costas, por ter um apoio lateral. No canguru, as pernas da criança ficam abertas e penduradas, o que dificulta a circulação de retorno. É melhor usar o canguru só com crianças de mais de oito meses e da forma que se assemelha a uma mochila.

TERMÔMETRO

Apesar de todas as novidades tecnológicas no mercado, os pediatras ainda preferem o termômetro digital para ser usado debaixo do braço do bebê, pois o consideram mais confiável para medir a temperatura. Se a família optar pelo de testa, cuidado ao comprá-lo, pois a maioria faz a medição da temperatura em graus Fahrenheit, e não em Celsius.

O QUE LEVAR NA BOLSA PARA A MATERNIDADE

As malas para a maternidade devem estar preparadas no máximo na 36ª semana de gravidez. Pai, mãe e bebê têm que estar com tudo pronto, porque a partir daí qualquer hora é hora, e todos ficarão mais tranquilos se estiver tudo preparado.

O QUE LEVAR NA BOLSA PARA SAIR DE CASA

- Garrafa térmica com água morna para limpar a criança na troca de fralda.
- Pacote de algodão pré-cortado.
- Creme para o bumbum.
- Fraldas descartáveis.
- Uma ou duas mudas de roupa, dependendo de quanto tempo ficará fora.
- Uma fralda de pano.
- Gel antisséptico para limpar as mãos.
- Manta para ser usada em caso de frio ou de vento.
- Trocador, que costuma vir junto com a bolsa.

O QUE TER EM CASA

- Óleo vegetal (camomila, sésamo, calêndula, lavanda, entre outros).
- Conta-gotas com tampa.
- Soro fisiológico.
- Tesoura de unhas especial para bebê.
- Pinça de plástico, para evitar queimar a mão ao retirar os materiais do esterilizador.
- Escova para limpar mamadeira.
- E tudo mais que foi levado para a maternidade.

MALA DO BEBÊ

- Uma roupa para sair do berçário.
- Uma roupa para depois do primeiro banho.
- Uma roupa para sair da maternidade.
- Dois conjuntos de roupas a mais.
- Duas mantas.
- Cada uma destas cinco mudas de roupa é composta de: uma fralda descartável, macacão (para recém-nascido), camisa e sapatos.
- Duas tocas do lado avesso.
- Sacos plásticos para cada muda de roupa.
- Uma toalha de banho.
- Escova de cabelo e pente sem bolinhas.
- Bolsa térmica.
- Sabonete líquido.
- Xampu de bebê sem corante.
- Álcool 70% numa garrafa com bico, chamada almotolia.
- Algodão recortado.
- Mistura de pomada contra assaduras com óleo vegetal.
- Hastes flexíveis redondas e gordas, especiais para bebê.
- Fita-crepe para bebê.
- Um pacote de fraldas descartáveis (tamanho RN).
- Seis fraldas de pano.
- Bebê-conforto.

DICA

Arrume todos os cinco conjuntos de roupas dentro de sacos plásticos para facilitar a vida de quem vai vestir o bebê.

MALA DA MÃE

- O travesseiro predileto.
- Duas camisolas para amamentar.
- Um robe.
- Um par de chinelos confortáveis.
- Dois sutiãs para amamentar.
- Um modelador pós-parto.
- Uma roupa para sair da maternidade.
- Um saco para roupa suja.
- Um sabonete.
- Um *nécessaire* (com escova, pasta de dentes, cremes, entre outros).
- Uma fita ou um elástico para prender o cabelo.
- Um gel antisséptico para as mãos.
- Um creme (gordura) para os seios.
- Um par de conchas rígidas.

MALA DO PAI

- Documentos para a internação na maternidade.
- Pijama ou short e camiseta.
- Chinelos.
- Uma muda de roupa.
- Um *nécessaire* (com barbeador, desodorante sem cheiro e escova de dente).
- Aparelho de som com a música que a mãe colocava para o bebê ouvir dentro do útero.
- Champanhe e taças (que podem ser de plástico).
- Enfeite para porta.
- Lembranças para as visitas.
- Almofada para amamentar.
- Um kit de sobrevivência com biscoitos doces e salgados, amêndoas salgadas, barra de cereal, entre outros.
- O celular, para câmera ser usada sem flash.

9

DECORAÇÃO

QUARTO

O quarto tradicional de bebê tem sempre berço com grade, cômoda, cadeira de amamentação e cama para acompanhante. Pois bem, meus anos acompanhando bebês comprovam que uma criança pode ser mais feliz sem precisar desse aparato todo. Hoje vivemos num novo mundo, em que os quartos são feitos já pensando no desenvolvimento, na autonomia e na liberdade da criança.

NÃO É PRECISO BERÇO

Por que não usar berço? Porque o bebê, por volta dos sete meses, vai começar a se arrastar pelo chão e odiar ficar preso nele, vendo o mundo através de grades. Berço é um lugar muito solitário, que isola a criança. Sigo os preceitos da médica e educadora italiana Maria Montessori (1870-1952), cujo método conhecido e celebrado em todo o mundo propõe um ambiente de aprendizado mais criativo. Segundo Montessori, é importante criar um espaço adequado para o desenvolvimento da criança, onde ela consiga expressar suas capacidades, porque o ama e se sente bem nele.

CAMA NO CHÃO

Num quarto montessoriano, a criança pode aprender sozinha a partir das próprias experiências. E como isso é possível? Primeiro, deixando espaço para que ela não fique presa e possa se movimentar desde muito pequena, livre de qualquer perigo. Num quarto assim, a cama do bebê fica no chão. Como já expliquei, é importante que nos primeiros dias e até os três meses ele durma bem próximo da mãe, para que a presença dela o deixe mais tranquilo e confiante. Depois, é importante que ele tenha o próprio quarto.

Nos primeiros meses, a cama no chão — pode ser um futon de solteiro ou um colchão — deverá ser bem protegida com almofadas para que ele não role.

Depois, quando começar engatinhar, o próprio bebê terá liberdade para sair e circular à vontade pelo quarto. E, ainda mais importante, quando a criança sentir sono, se encaminhará sozinha para a cama e dormirá tranquila, sem precisar da ajuda de ninguém.

PISO

Outro ponto relevante é ter um piso fácil de limpar, macio e, ao mesmo tempo, que não seja frio. O mais indicado é o piso em EVA, que é bem mole e muito fácil de ser higienizado. Ele deve ter pelo menos dois centímetros de espessura, justamente para ficar bem fofo. Para quem não está lembrado, é aquele piso normalmente usado em academias de luta. Minha dica é passar uma mistura de água com álcool uma vez por semana, para ficar ainda mais limpo e sem germes. Para isso, também é necessário deixar os sapatos fora desse ambiente. Quem anda na rua deve deixar seu sapato na porta do quarto ou, melhor ainda, na porta de casa.

AUTONOMIA

Outra vantagem da cama no chão é o aumento da autonomia da criança. Ela acorda, consegue se movimentar, mexe nos brinquedos, que também estarão próximos. Além disso, quando sente vontade de ver um adulto, ela chora ou resmunga, mas isso não costuma acontecer logo depois que ela acorda, diferente do que ocorre num berço fechado. Os bebês não gostam do berço. Não conheço criança que já esteja falando que peça por livre e espontânea vontade para ir até ele. No berço, pai e mãe nunca estão com o bebê lá dentro. No colchão, no chão, eles podem ficar todos juntos.

CADEIRA LEVE

Outro móvel dispensável é a poltrona de amamentação. Minha sugestão é ter uma cadeira leve, de plástico, que possa ser carregada de um lado para o outro da casa, para que a mãe mude de ambiente sempre que quiser. Uma cadeira de balanço também pode ser uma peça muito bem-vinda para os primeiros meses do bebê, mas nunca para amamentar, porque ninguém gosta de comer balançando. A criança gosta do movimento de balanço, do embalo, mas não na hora de comer. Na prática, ela vai mamar em diferentes ambientes da casa, sobretudo na cama dos pais.

TROCADOR

O bebê não gosta de ter a fralda ou a roupa trocada numa posição em que fique de lado, e não de frente para quem estiver fazendo a troca. No entanto, a grande maioria dos trocadores, principalmente aqueles que ficam em cima de um móvel com uma cômoda, obriga a mãe ou quem estiver realizando a tarefa a colocar a criança de lado, para ter mais espaço para mexer nela. A solução é ampliar a área de ação, e isso pode ser feito com a ajuda de um compensado. É simples e fácil. Compre um compensado com cerca de um centímetro de espessura, forre-o com plástico e coloque em cima do móvel, de forma que sobre cerca de cinco centímetros de cada lado. É o necessário para ampliar a área de ação na hora de trocar a criança.

SEGURANÇA

O quarto montessoriano prevê cuidados muito específicos com a segurança do bebê. Já que a criança vai poder se movimentar livremente, todas as tomadas devem ter proteção. Outro ponto fundamental é ter um portão que impeça o bebê de sair do quarto. Esse portão deve ficar fechado o todo tempo, evitando assim que ele fique exposto aos perigos normais de uma casa.

Ainda na hora de trocar a roupa do bebê, lembre-se de que é importante deixá-lo inclinado, com o tórax mais alto do que a barriga, principalmente até os três meses — é um esforço para tentar evitar o tão falado refluxo. Uma toalha enrolada (ou alguma outra invenção simples) colocada embaixo do trocador pode resolver. O ideal é uma inclinação de 30º.

Para quem não quiser investir numa cômoda, outra solução é usar uma bancada chumbada na parede, que no futuro servirá como mesa, onde a criança poderá estudar e colocar o computador.

ESPELHO

Para completar o ambiente, outra sugestão montessoriana é colocar um espelho bem próximo ao chão, no qual o bebê poderá se ver e se descobrir, interagindo consigo mesmo. Com certeza, diante do espelho, ele passará bons momentos lúdicos. No começo, nem sequer saberá que se trata dele mesmo, mas se divertirá batendo longos papos com aquele bebê que está à sua frente.

10

GÊMEOS, TRIGÊMEOS, QUADRIGÊMEOS...

Nas últimas décadas, com a popularização dos tratamentos de fertilização, a gravidez múltipla se tornou mais comum: nunca houve tantos casos de gêmeos, trigêmeos, quadrigêmeos... Os pais de múltiplos costumam levar um grande susto quando descobrem que terão mais de um filho ao mesmo tempo, mas, como tudo na vida, uma minuciosa preparação antes do parto e uma rotina bem organizada depois do nascimento podem ajudar muito no dia a dia da família.

Passado o susto, vem o orgulho, a emoção e a alegria. É claro que ter mais de um bebê de uma vez é assustador e realmente dará muito trabalho. O começo será o mais difícil. Aos poucos, com a rotina se ajeitando, haverá também muito prazer com o fato de ter mais de uma criança animando a casa.

Desde o começo, os pais precisam ter em mente que aquelas crianças nunca estarão sozinhas, e isso começa no útero. Para todas as atividades, todas as experiências, todas as descobertas, há um (ou mais) espectador privilegiado, que será também um cúmplice, o que vai influenciar em todo o desenvolvimento dessas crianças.

Os gêmeos e demais múltiplos costumam se referir a si mesmos não como "eu", e sim como "nós". Isso não é ruim. É comum demorarem mais um pouco do que a média para falar, pois há tanta cumplicidade entre eles que basta um olhar para se entenderem.

DIFERENCIANDO

Cabe aos pais, desde o nascimento de filhos múltiplos, tomarem grande cuidado para não tratar as crianças como um ser único. É importante que cada uma tenha sua individualidade preservada desde o começo. Será fascinante buscar logo no nascimento o que cada

Nesse processo para firmar a personalidade de cada uma das crianças, é melhor evitar a escolha de nomes muito parecidos, que só irão confundir. Assim como, apesar da tentação imensa, vesti-los com roupas iguais ou muito parecidas.

uma tem de diferente (e não só fisicamente) para mostrar que todos terão sua porção garantida de atenção dos pais.

Nesse processo para consolidar a personalidade de cada uma das crianças, é melhor evitar a escolha de nomes muito parecidos, que só irão confundir. Assim como, apesar da tentação imensa, vesti-los com roupas iguais ou muito parecidas. Cada um deve ter sua individualidade preservada.

Na hora de comprar brinquedos, o ideal é comprar um para cada um, para evitar briga por um específico que seja só de um ou de outro.

LIDANDO COM A FRUSTRAÇÃO

Ser mãe é aprender também a suportar a frustração, porque no dia a dia corrido da maternidade as coisas não saem sempre do jeito que se imaginou. Ser mãe de filhos múltiplos pode ser ainda mais frustrante, por causa do volume maior de trabalho. Ela deve aprender a lidar com a sensação, sem se cobrar tanto, mas com o cuidado de dividir seu tempo de forma justa para cada um dos bebês. É bom que cada um tenha um momento de exclusividade com a mãe, e também com o pai.

AMAMENTANDO MÚLTIPLOS

O ideal é que a mãe de gêmeos amamente os dois simultaneamente, o que lhe poupará um tempo precioso e ainda facilitará a saída do leite, que virá dos dois lados de uma vez só. A posição mais comum é a invertida, também chamada de bola de beisebol, com as pernas dos bebês para trás do braço da mãe. Porém, frequentemente, a mãe acha mais fácil dar de mamar para um bebê de cada vez.

Também é muito comum mãe de gêmeos não ter leite suficiente para amamentá-los exclusivamente no seio até os seis meses. Assim que perceber que a produção está sendo insuficiente, o melhor é fazer o sistema de rodízio. Enquanto amamenta um dos filhos, o outro toma mamadeira. Na mamada seguinte, a situação se inverte: aquele que tomou a mamadeira vai mamar no peito e o outro, na mamadeira.

Para isso, será preciso organização, colocando num quadro as informações das mamadas de cada um. O sistema de rodízio também pode ser adaptado para trigêmeos ou mais. Requer dedicação, claro, mas garante o prazer da amamentação tanto para a mãe, quanto para os filhos.

11

SEGUNDO FILHO

Ser pai deixou de ser, simplesmente, prover o lar de autoridade e conforto financeiro há muito tempo. Numa sociedade em que se almeja evoluir em humanidade, a figura paterna se modificou grandemente nas últimas décadas, se aproximando do dia a dia do bebê, da família, dos cuidados básicos da prole desde a gravidez. Nesse novo universo, os desafios são desmitificados por Stéphanie, que, com humor, acuidade científica e afeto, conduz os marinheiros de primeira viagem e os pais e mães veteranos em tudo o que circunda o ato de dar a vida.

— THIAGO FRAGOSO, ATOR

Poderia escrever sobre várias situações em que as aulas da Stéphanie me ajudaram, mas, sem dúvida, a preparação para a amamentação foi a principal.

Os dois módulos me deram informações que me acalmaram e foram fundamentais. Seguindo os passos aprendidos na aula, consegui amamentar o Benjamin por um ano, sendo que nos seis primeiros meses ele se alimentou exclusivamente de leite materno.

O uso da concha nos seios antes do nascimento fez com que eu desenvolvesse o bico necessário para amamentar. As dicas em relação ao consumo de litros de água ajudaram no volume de leite. Mas o principal aprendizado foi a organização dos horários das mamadas. Seguindo as orientações da Stéphanie, foi criada uma rotina de sono e alimentação que, ao longo dos meses, fez com que meu filho dormisse a noite toda. Além disso, quando os alimentos começaram a ser introduzidos, essa organização criada facilitou muito. Vejo reflexos dessa preparação até hoje na vida dele.

A participação dos pais cria um laço muito forte entre eles e os bebês. Tivemos uma experiência maravilhosa com o banho do papai. Os dois juntos no chuveiro desde o nascimento é um hábito que continua até hoje, só que agora é o banho da bagunça.

Acho que os ensinamentos da Stéphanie dão muita segurança para que os pais tomem conta dos filhos.

— MARIANA VAZ, ATRIZ, ESPOSA DE THIAGO FRAGOSO

A notícia da chegada do segundo filho afeta a todos da família, parentes próximos ou distantes, amigos, mas em especial o primogênito, que logo deixará de ser único e precisará se adaptar ao novo arranjo da casa.

O primeiro passo para o bom acolhimento do irmão que vai chegar em alguns meses é envolver o mais velho na gravidez. Costumo dizer que os pais que já têm certeza que querem outro filho devem preparar o terreno, conversar sobre a ideia com o mais velho, perguntar se ele gostaria de ter um irmão, tentando mostrar as vantagens de ter outra criança na família.

CLAREZA NA HORA DE CONTAR SOBRE A GRAVIDEZ

Os próprios pais é que devem anunciar ao filho mais velho que ele irá ganhar um irmão, porque só os dois vão conseguir dar a segurança necessária à criança nesse momento tão importante. Quando se trata de uma criança de menos de cinco anos, o ideal é esperar passar o primeiro trimestre da gravidez, quando a barriga da mãe realmente começa a aparecer, para que a ideia de ganhar um irmão não seja tão distante no tempo. Não é raro que a criança imagine que o irmãozinho vai chegar no dia seguinte para brincar com ela. No entanto, caso haja algum risco de o mais velho acabar sabendo da gravidez por outra pessoa que não o pai ou a mãe, será melhor contar logo.

ATENÇÃO ÀS PERGUNTAS

Os pais devem se preparar para responder às perguntas do filho mais velho sobre o bebê que está a caminho. Todas as respostas devem ser dadas com naturalidade, sem deixar dúvidas. Não é preciso ir além do que ele perguntar. A verdade é que criança não pergunta mais do que é capaz de entender, e, muitas vezes, o adulto faz questão de contar mais do que foi perguntado. Provavelmente, a criança vai querer saber como o bebê conseguiu entrar na barriga da mãe, como os bebês são feitos e outros detalhes sobre o nascimento. O importante aqui é mostrar que o irmão é fruto do amor dos pais, assim como o filho mais velho. A faixa etária da criança deve guiar a maneira de os fatos serem apresentados.

INTERAÇÃO

Uma forma de tentar unir os irmãos desde a gravidez é deixar o mais velho interagir com a barriga da mãe, fazendo carinho ou mesmo falando algumas frases para o irmão. Serão momentos de aproximação que podem aplacar sua ansiedade. Quanto maior estiver a barriga, mais fácil será para ele entender que o bebê está a caminho. Além disso, sentir os movimentos do irmão dentro da barriga facilitará o entendimento de toda a conjuntura, preparando o terreno para a chegada do irmão.

EXERCITANDO A PACIÊNCIA

Como criança pequena não tem noção de tempo e a gestação é demorada, é interessante tentar mostrar que o bebê cresce devagar. Busque fotos da criança quando ela ainda era recém-nascida, para que perceba como os bebês nascem bem pequenos. Se o mais velho tiver mais de cinco anos, os pais poderão ligar o nascimento do bebê com datas do dia a dia dele, como aniversário, Natal, Dia das Crianças... Assim, ele poderá ter uma noção de quando o irmão finalmente nascerá.

NÃO ASSISTIR À ULTRASSONOGRAFIA

O casal não deve levar seu filho mais velho para um exame de ultrassonografia com a intenção de que ele veja o irmão pelo monitor. A imagem do bebê não é clara e na maioria das vezes ele aparece disforme, podendo assustar o irmão.

MUDANÇAS BEM ANTES DO NASCIMENTO

O irmão mais novo é o herdeiro natural do mais velho, mas cuidado com o ritual de passagem de brinquedos ou móveis de um para o outro. Minha dica é mostrar para o mais velho que ele está crescendo, por isso vai deixar o berço ou o carrinho, sem associar à chegada do irmão. Se tudo for feito com muita antecedência, o mais velho nem sequer vai se lembrar de que aqueles objetos foram dele um dia. No caso da mudança do berço, por exemplo, o ideal é apresentar a cama nova pelo menos três meses antes do nascimento, deixando o berço antigo desmontado até bem próximo à chegada do irmão.

E O CIÚME?

Ciúme é inevitável, mas pode ser resolvido com tranquilidade. A grande insegurança do filho mais velho é se ele continuará a ser amado após a chegada de um irmão. Daí a importância de deixar que ele consiga verbalizar todos esses medos, enquanto os pais tentam lhe dar segurança. Além disso, é importante frisar que amor de pai e mãe não é dividido, e sim multiplicado. Tem amor e carinho para todos os filhos, sempre.

Muitas vezes, apesar de toda a argumentação e de todo o amor dos pais, o mais velho tende a dar uma pequena regredida, querendo se transformar em bebê de novo. Ele não deve ser reprimido. Os pais devem mostrar como é chato ser um bebê e como é bom ser o mais velho, para ele ter pena do irmão. Afinal, bebê não brinca, só mama, dorme e chora.

A dica aqui é brincar que o mais velho é um bebê e embrulhá-lo num pano ou numa toalha, do jeito que se embrulha o bebê, e dar muitos beijos, fazer carinho, sem deixá-lo se mexer. Resultado: ele não vai querer brincar mais do que alguns minutos, achará muito chato ficar assim e perceberá que ser um bebê é muito difícil.

Da mesma forma, se a criança pedir para dormir no berço ou até mamar no peito, a mãe não deve negar. Ela só experimentará e certamente não gostará. O berço dará a sensação de que ele estará aprisionado, fazendo com que peça para sair em pouquíssimo tempo.

Na temporada da chegada do irmão, também é bom evitar qualquer mudança drástica na rotina. O mais velho não deve entrar na escola ou na creche, tirar fralda, deixar a chupeta, trocar de babá. Já que há tantas mudanças na rotina dele devido à chegada de um bebê na casa, nada melhor do que garantir todo o resto com o qual já está acostumado.

BEBÊ NÃO TRAZ PRESENTE

Para tentar aproximar os irmãos, muitos pais compram um presente para o mais velho no dia do nascimento do mais novo, dizendo que foi o bebê que trouxe o brinquedo para o irmão. Criança não é boba e logo saberá que bebê não tem de onde tirar presente! O presente pode ser dado na ocasião, a única diferença é o que deverá ser dito: basta os pais falarem que estão tão contentes com o aumento da família que decidiram presentear o mais velho com algo que ele desejava ou simplesmente algo que o fará feliz.

EM CASO DE CESARIANA, VISITA SÓ NO DIA SEGUINTE

Se o bebê nascer de cesariana, o mais velho não deve ser levado para visitá-lo no mesmo dia do nascimento, porque poderá se assustar ao ver sua mãe ainda se restabelecendo e, sobretudo, ao ver a bolsa de urina pendurada na cama. Além disso, a mãe não poderá se sentar para colocá-lo no colo, o que é muito importante nesse primeiro encontro pós-nascimento para mostrar que ele não perdeu o trono. Pais e filhos devem segurar a ansiedade e deixar o encontro para o dia seguinte.

ATENÇÃO AOS BRINQUEDOS

A principal vantagem de deixar irmãos em quartos separados é não misturar brinquedos de criança maior com os de bebê. Se os pais conseguirem proteger o mais novo dos brinquedos dos mais velhos, para que ele não corra o risco de engolir peças pequenas ou qualquer outra coisa que seja perigosa, vale a pena deixar os irmãos juntos, aprendendo desde cedo a dividir os espaços.

INCENTIVANDO A AJUDA

Deixar que o irmão ajude nos cuidados do bebê é uma excelente estratégia para que ele se sinta útil e, ao mesmo tempo, mais próximo da criança que acaba de chegar. Os pais podem convidá-lo para servir de auxiliar na troca de fraldas, dar uma mãozinha no banho, pedindo-lhe que ajude nos pequenos detalhes, como passar o sabonete ou molhar o algodão na água morna para a limpeza do bumbum. As tarefas, com certeza, irão demorar mais, contudo, o primogênito vai se sentir importante.

12

AVÓS E AVÔS

LEITURA RECOMENDADA PARA OS PAIS DOS PAIS

No meu dia a dia lidando com futuros pais, acho muito importante envolver os avós na preparação para o nascimento do bebê. A chegada de uma criança muda toda a organização da família, e a participação deles nesse momento pode ser um apoio importante na nova configuração familiar. Difícil, no entanto, é perceber a linha tênue que separa ajuda de invasão. É bom deixar bem claro o papel de cada um. E o dos avós não é cuidar do bebê, e sim cuidar de seus filhos, que vão cuidar do bebê.

Minha primeira dica para os avós de hoje é de se abrirem para o novo, ou seja, não ficarem presos ao passado, querendo que os netos sejam criados como eles criaram seus filhos, algumas décadas antes. Vivemos na era da comunicação, marcada pela circulação imediata da informação e por muitas pesquisas em todos os campos do saber.

Estudiosos vêm se debruçando cada vez mais sobre os primeiros anos das crianças, mostrando que, muitas vezes, o que se acreditava ser verdade em outros tempos agora pode ser totalmente diferente. O mundo mudou, assim como a forma de as crianças serem tratadas e criadas. Não se trata de desconfiar da sabedoria dos mais velhos; só é preciso que os avós percebam que o mundo mudou.

Eles podem dar conselhos e também devem ouvir o que os filhos têm a dizer sobre a criação do bebê que acaba de nascer. Podem trocar informações, refletir, pensar junto, mas a decisão final sobre a vida da criança é dos pais e somente deles. O importante é construir uma relação de respeito e de confiança, perceber que os filhos cresceram, que são pais de uma criança e capazes de cuidar dela sem ajuda.

A MELHOR AJUDA É NAS TAREFAS DO LAR

Se a ideia é ajudar os pais do recém-nascido, minha sugestão para os avós é focar nas tarefas do lar, que continuam à espera de serem cumpridas, mesmo com a chegada de um bebê. A mãe deve estar livre para se concentrar nos cuidados com a criança, sobretudo no aleitamento, que vai ocupá-la em boa parte do dia e até da noite, sem muito tempo para pensar no cotidiano de uma casa. Se os avós estão dispostos a colaborar, a melhor ajuda será pôr a mão na massa dentro da casa, cuidando para que tudo corra bem. Podem ajudar das compras de supermercado à lavagem das roupas, auxiliando na faxina ou cuidando da casa.

No entanto, atenção para que essa presença não seja invasiva. Pode-se oferecer ajuda, arregaçar as mangas se for preciso, mas nunca pensar que a casa dos filhos é a sua. Deve-se respeitar as decisões dos donos da casa e, principalmente, se lembrar de que uma mãe novata, em fase de amamentação, é muito sensível e às vezes pode perder a paciência por muito pouco. Mais do que dar ordens e palpites, deve-se ser compreensivo e amigo.

> No entanto, atenção para que essa presença não seja invasiva. Podem oferecer ajuda, arregaçar as mangas se for preciso, mas nunca pensar que a casa dos filhos é a sua.

UM PÉ NO PASSADO

É inquestionável que a criança de hoje já nasce mergulhada na tecnologia. Avós não devem ir contra esse fato, mas podem justamente mostrar aos netos que há um mundo além de computadores, jogos eletrônicos, televisores e tablets. Um importante papel é o de ensinar aos netos o poder das brincadeiras simples, que dispensam a tecnologia. Aquelas brincadeiras que faziam quando crianças, quando faziam os próprios brinquedos, como cavalo de pau. Os avós também podem ensinar uma arte ou uma técnica que os netos terão o prazer de fazer somente com eles, como costurar, cozinhar, soltar pipa ou construir aviões de madeira. Eis boas dicas para ficar mais próximo da criança, numa aventura que será deliciosa para todos os envolvidos.

Ou seja, aproveitar a chance oferecida pela vida de voltar a ser criança ao lado dos netos.

MINHAS ANOTAÇÕES

PUBLISHER
KAÍKE NANNE

EDITORA EXECUTIVA
CAROLINA CHAGAS

EDITORA DE AQUISIÇÃO
CRISTIANE COSTA

COORDENAÇÃO DE PRODUÇÃO
THALITA ARAGÃO RAMALHO

PRODUÇÃO EDITORIAL
ANNA BEATRIZ SEILHE
ZAIRA MAHMUD

PREPARAÇÃO DE TEXTO
PEDRO STAITE

REVISÃO
LUANA LUZ DE FREITAS

ILUSTRAÇÃO
MARCUS SANTTOS

PROJETO GRÁFICO E DIAGRAMAÇÃO
TABARUBA DESIGN

Este livro foi impresso no Rio de Janeiro, em 2015, pela Edigráfica, para a Editora Agir. A fonte usada no miolo é Merriweather. O papel do miolo é avena 80g/m², e o da capa é cartão 250g/m².